DE VOORSPELLING

MARCUS SEDGWICK

DE VOORSPELLING

UIT HET ENGELS VERTAALD
DOOR ANNELIES JORNA

VAN GOOR

De vertaalster ontving voor deze vertaling een werkbeurs van de Stichting Fonds voor de Letteren.

STICHTING
FONDS
VOOR DE
LETTEREN

Voor Fiona Kennedy
mijn fantastische redactrice

Eerste druk maart 2008
Tweede druk juni 2008

ISBN 978 90 475 0108 4
NUR 284
© 2008 Uitgeverij Van Goor
Unieboek BV, postbus 97, 3990 DB Houten

oorspronkelijke titel *The Foreshadowing*
oorspronkelijke uitgave © 2005 Orion Publishing Group Ltd, Londen

www.van-goor.nl
www.unieboek.nl

tekst Marcus Sedgwick
vertaling Annelies Jorna
omslagontwerp Steef Liefting
zetwerk binnenwerk Mat-Zet BV, Soest

Geloof me of niet,
maakt het nog verschil?
Het lot gaat haar eigen gang
en algauw zul je erkennen
dat mijn woorden waar waren.

Uit *Agamemnon* van Aeschylus

Deel één

101

Ik was vijf toen ik voor het eerst de toekomst voorspelde. Nu ben ik zeventien.

Ik weet er niet veel meer van. Of misschien kan ik beter zeggen dat ik er tot voor kort niet veel meer van wist.

Jarenlang kon ik me niets anders herinneren dan het gelach, het opgelaten gelach, eerst gevolgd door stilte en daarna door boosheid. Ik schaamde me als ik eraan terugdacht, voelde me schuldig, gekwetst, maar ik had geen idee meer waar het om ging. Of liever, ik had mezelf gedwongen het te vergeten.

Herinneringen die twaalf jaar lang hebben gesluimerd komen stuk voor stuk terug, om een compleet beeld te vormen van die dag lang geleden, toen ik nog een klein meisje was.

We woonden destijds nog niet in Clifton Terrace, met mijn heerlijke uitzicht op zee, maar ik weet niet waar we wel woonden. Er was een grote tuin, groter dan we hier hebben. Ik was in die tuin aan het spelen met een meisje van mijn leeftijd. Edgar en Tom waren ook nog jong en ze speelden zowaar wel eens met ons, als ze tenminste niet hun best deden om uit de grote boom met moesappels te vallen.

Het was zomer. Het meisje en ik waren boezemvriendinnen. Ze heette Clare en haar ouders waren bevriend met mijn ouders. Het was een lange, blije middag, maar uiteindelijk werd het tijd dat Clare naar huis moest.

En nu komt het gedeelte dat ik al die jaren verdrongen en weggestopt heb in het diepst van mijn geheugen.

Clare en ik stonden met elkaar te giechelen in de hal, met boven ons hoofd het geroezemoes van de pratende grote mensen.

Toen zei ik iets. Iets waardoor de grote mensen ophielden met praten en stil werden.

'Waarom moet Clare dood?' vroeg ik.

Omdat niemand iets terug zei, dacht ik dat ze me niet hadden gehoord, en ik deed een nieuwe poging.

'Ik wil niet dat Clare morgen doodgaat.'

Het praten kwam weer op gang en ik wist dat ze me gehoord hadden, want moeder gaf me een standje en Clare werd huilend door haar moeder afgevoerd.

Ik had het mis. Clare ging de volgende dag niet dood. Maar als vijfjarige begreep ik waarschijnlijk nog niet dat 'morgen' een definitievere tijdsbepaling was dan 'algauw'.

En algauw kreeg ik wél gelijk. Clare stierf aan tuberculose. Het ging heel snel en de artsen konden niets doen om haar te redden. Ik herinner me weer levendig hoe ik wenste dat ik haar had kunnen helpen. Had kunnen voorkomen dat ze doodging.

Toen begon de stilte.

Niet lang daarna verhuisden we hierheen, naar Clifton Terrace, en na verloop van tijd ben ik alles vergeten van die dag toen ik vijf was.

Tot nu toe.

100

Ik heb weer de toekomst gezien, en de dood. Ik kan niet langer doen alsof het maar verbeelding is.

Ik was er niet zeker van. Het kon ook toeval zijn dat ik gedroomd had van iets wat nog stond te gebeuren. Een maand geleden droomde ik dat George gedood was. De ochtend na mijn droom zat vader bij het ontbijt de krant te lezen.

'George Yates,' zei hij zonder op te kijken. 'Dat is toch een vriend van Edgar, hè?'

Moeder knikte.

Nog steeds zonder opkijken las vader een bericht voor. 'Kapitein George Yates overleden aan verwondingen, Vermelles, 26 september 1915.'

Ik was zo geschokt dat ik niet wist wat ik ervan moest denken.

'Die arme George,' zei Tom.

'Die arme Edgar,' zei moeder, met haar gedachten bij haar andere zoon. Haar oudste zoon, die ergens ver weg in Frankrijk was.

Onhandig begon ze de ontbijtbordjes op te stapelen. Tom, mijn andere broer, stond op om haar te helpen.

'Met Edgar gaat het goed,' zei vader. 'Die jongeman is sterk.' Nu sloeg hij eindelijk zijn ogen op en keek hij strak naar Tom.

'En waar is die vreselijke meid?' ging hij door, doelend op

ons dienstmeisje Molly. 'Betalen we haar soms niet genoeg om dat werk te kunnen doen?'

Tom negeerde hem en bracht de borden naar de keuken.

'Wie sterk en dapper is heeft niets te vrezen,' zei vader.

Hij ging weer verder met de lijst gesneuvelden lezen. Ik vind het vreemd dat hij vindt dat hij dat moet doen. Hij is al de hele dag met zieken en stervenden bezig in het ziekenhuis. 'Waar is Molly?' snauwde vader.

'Kokkie is er niet en Molly heeft het druk,' zei moeder.

'Alexandra,' zei mijn vader met een zucht. 'Ga je broer helpen.'

Ik sprong op en probeerde een handje te helpen, maar ik kon alleen aan George denken. Hij was naar het front gegaan; hij was gedood. Dat was allang niet meer ongewoon. Maar in de nacht voordat het nieuws ons bereikte, had ik gedroomd dat het ging gebeuren.

Hoe was dat mogelijk?

In de dagen die volgden probeerde ik er niet aan te denken.

Overdag had ik mijn lessen bij juffrouw Garrett thuis en 's avonds zat ik bij moeder. Zij is altijd bezig, heeft altijd afspraken te regelen met haar vriendinnen en moet leidinggeven aan het huishouden, aan de kokkin en aan Molly, die lief is maar ook een warhoofd.

Voor de zoveelste keer probeerde ik vader over te halen dat ik mocht helpen op de ziekenzalen, maar hij bleef weigeren. Hij vindt het ongepast voor een meisje als ik, en als hij eenmaal iets vindt, blijft hij er meestal bij.

Ik deed mijn best George te vergeten, maar het lukte me niet. Beelden van zijn dood kwamen bij me op; ik weet niet waar ze vandaan kwamen. Op een ochtend zat ik voor mijn spiegel, borstelde mijn haar en bedacht dat het erg lang werd, toen er opeens een beeld in mijn hoofd kwam van Georges moeder die het telegram las waarin het nieuws stond. Ik zag voor me dat George vast kwam te zitten in de prikkeldraadversperringen waarover we steeds horen, maar dat kan fantasie zijn geweest. Ik weet niet hoe hij gestorven is.

Ik was bang, maar de dagen gingen voorbij en ik maakte mezelf wijs dat het toeval was geweest. In Frankrijk sneuvelden elke week duizenden mannen en het kon best toeval zijn dat ik over de dood van een van hen had gedroomd. Ik vroeg me zelfs af of ik soms al eerder van Georges dood had gehoord zonder dat het nieuws tot me was doorgedrongen. Misschien had zijn naam al in de lijsten gestaan en had vader hem over het hoofd gezien. Die kans was klein, maar ik klampte me aan deze verklaring vast tot ik het na verloop van tijd van me af kon zetten en hopelijk zelfs helemaal vergeten.

Maar na wat er gisteren is gebeurd, kan ik niet langer doen alsof het maar verbeelding van me was.

Moeder en ik liepen door Middle Street. We kwamen langs het grote theater Hippodrome, waar ik als kind zo graag naar het circus ging. Ik bleef even staan treuzelen bij de herinnering aan een voorstelling die we eens hadden gezien met in de hoofdrol Dinky, de hond die zo mooi hoog kon springen. Moeder trok aan mijn hand.

'Kom mee, Sasha,' zei ze. Soms gebruikt ze mijn troetelnaampje nog, alsof ik haar Russische prinsesje ben.

Voor ons lag de zee. Het was eind oktober en boven ons was de lucht grijs en grimmig. Harde windvlagen joegen de golven tegen de kademuur. Zoals zo vaak was de stad vol soldaten; een waas van kakiuniformen.

We waren van plan geweest om lopend naar vader in het ziekenhuis te gaan, maar het zag ernaar uit dat het elk moment kon gaan regenen. Mensen passeerden ons haastig, een paard en lege wagen zetten snel koers naar huis toen de koetsier bezorgd naar de lucht keek.

'We nemen de tram,' zei moeder, en we keerden om en namen de kortste weg langs de Old Steine naar de halte bij Marlborough House.

Er stond al een lange rij. Alles was heel gewoon terwijl we op de tram stonden te wachten. Toen hij kwam, begonnen dames te dringen om als eerste in te kunnen stappen, maar de sfeer bleef gemoedelijk.

Moeder keek naar de wolken die zich samenpakten.

'Kom,' zei ze en ze pakte mijn hand.

'Nee,' zei ik.

Ze keek verbaasd naar me om.

'Doe niet zo mal, Alexandra, ik heb het koud en het begint te regenen.'

'Ik doe niet mal,' zei ik.

Ik wist zelf niet wat er mis was. Ik wist alleen dat ik die tram niet in wilde. Dat ik niet in moest stappen.

Een soldaat achter ons werd ongeduldig.

'Schiet eens op, schatje,' zei hij. 'Instappen.'

Maar ik verroerde me niet.

Ik zag wel dat mama zich opgelaten voelde. De soldaat wrong zich langs ons heen, botste tegen me op toen hij de tram in ging. Op de tree draaide hij zich om. Ik keek hem recht in de ogen.

'Sorry, schoonheid, ik heb nu geen tijd,' zei hij. Er lag een brutaal lachje om zijn mond, maar toen hij me aankeek verloor die lach alle levenskracht en stierf weg.

Ik wist dat hij ging sterven. Ik weet niet hoe ik het anders zeggen moet. Ik zag het. Niet in Frankrijk, niet in de oorlog, maar algauw. Hier.

'Voel je je wel goed?' vroeg moeder, die niet langer boos was nu ze dacht dat ik niet lekker was geworden.

'Ik wil niet met die tram.'

'Sasha...' begon moeder, en toen zweeg ze. Ze zuchtte.

De mensen werkten zich naar binnen, maar de soldaat stond nog op de trede en bleef naar me kijken. Moeder zag het en ik denk dat ze me alleen om die reden mijn zin gaf. Ik wist hoe ze over 'onbeschaafde' mannen dacht.

'We gaan lopen,' zei ze en de tram vertrok.

De soldaat staarde me nog steeds aan toen de tram al reed.

Ik keek de tram na. Moeder trok aan mijn arm, ongeduldig, maar ik kon me niet bewegen. Ik stond als aan de grond genageld. Daarna ging alles heel langzaam, maar tegelijkertijd gebeurde het snel. De tram zette vaart en reed ratelend in de richting van de Grand Parade.

En opeens begon het te stortregenen.

Op de een of andere manier, door een obstakel misschien, kwam één wiel omhoog uit de rails. De hele tram ontspoorde en viel met een enorme dreun om. Hij raakte een muur en er sloeg een regen van vonken en steengruis op.

Ik hoorde het lawaai om ons heen. Het lawaai van de tram die de muur raakte, hoorden we het laatst en klonk nog het zachtst. Overheersend en oorverdovend was het gekrijs.

Uiteindelijk sleepte moeder me daar weg. Gisteravond, voor ik naar bed ging, vroeg ik haar waarom we van haar weg moesten, en ze antwoordde dat we toch niets hadden kunnen doen. Dat er meteen al zo veel mensen, te veel misschien, om de tram heen hadden gedromd om anderen te helpen eruit te komen. De politie was gearriveerd en ambulances brachten de gewonden naar het Royal Sussex-ziekenhuis, waar vader vroeger werkte voordat hij directeur werd van het Dyke Roadhospitaal. Toch heb ik het gevoel dat ik iets had moeten doen. Ik had moeten helpen.

Vanochtend las ik in de krant dat de meeste betrokkenen geen ernstig letsel hadden opgelopen, maar dat één man was verongelukt.

Een soldaat.

Terugdenkend aan gisteren herinner ik me die ene emotie die ik aanvoelde bij mijn moeder. Angst. Maar geen angst vanwege het ongeluk.

Al weet ze niet dat ik het me herinner, ik weet waar ze aan denkt. Ze denkt aan een dag van lang geleden, toen ik vijf was.

99

Oorlog. Het lijkt wel alsof er niets anders meer bestaat.

De oorlog is overal om ons heen. Niets blijft gespaard, niemand is immuun. Iedereen lijdt eronder, iedereen heeft iemand verloren, of kent wel iemand die iemand verloren heeft. De kranten staan er bol van, er wordt bijna nergens anders meer over gepraat.

Het is al een jaar geleden dat de oorlog is begonnen, maar het lijkt als de dag van gisteren dat ik zat te luisteren hoe mijn broers er ruzie over maakten, ook met vader. Ik was zestien en van mij werd geen mening verwacht. Maar ik zat in een hoekje van de kamer te luisteren. Ik weet het niet heel zeker, maar het zou best eens de dag kunnen zijn geweest waarop we de oorlog aan Duitsland hadden verklaard.

Edgar en vader waren opgewonden, Tom was stil.

'Je moet niet dienst nemen als gewoon soldaat,' zei vader tegen Edgar. 'Met jouw ervaring in het vooropleidingskamp moet je aangesteld worden als officier. Hogerop beginnen.'

'Wás ik maar een gewone soldaat,' zei Edgar. 'Straks is alles voorbij voor ik erheen kan. Als ik eerst officier moet worden en maanden in een kazerne rondhang, is de oorlog allang achter de rug.'

'Stel het niet uit. Maak er meteen werk van, dan krijg je je deel van de glorie.'

Ik luisterde naar vader, maar ik keek naar Tom.

Edgar en vader stonden bij de tafel in de eetkamer aandachtig in de ochtendkrant te kijken. Tom zat uit het raam te staren, naar het gekabbel van de golven op zee ver achter de West Pier, zijn magere gestalte een zwart silhouet tegen de felle zomerzon buiten.

Zoals zo vaak bedacht ik dat het moeilijk voor te stellen was dat mijn broers familie van elkaar waren. Edgar is veel groter en sterker. Hij maakt zich nooit ergens zorgen om, maar gaat meteen tot daden over. Tom maakt zich om alles en iedereen zorgen. Er is me verteld dat ik ooit als klein meisje moest huilen om een dode vogel in de tuin, en hij sloeg zijn arm om me heen en zei dat dieren ook in de hemel komen. Dat zal wel niet waar zijn, maar hij wilde me troosten en blij maken. Zoveel geeft hij om anderen.

Vader keerde zich naar hem om.

'Het komt wel goed, Tom,' zei hij. Hij bedoelde dat Tom nog maar zeventien was en een jaar moest wachten voor hij bij het leger kon. 'Je kunt in ieder geval naar de officiersopleiding en daarna mag jij ook. Misschien is de oorlog dan nog niet voorbij.'

'Vader!' riep Edgar uit. 'Praat geen onzin. Dat is de wartaal die pacifisten uitkramen.'

Het stond vader niet aan dat hij zo werd toegesproken, zelfs niet door Edgar.

'Edgar,' zei hij strak, 'ik probeer Tom alleen maar op te beuren. Het is pech voor hem dat hij niet mee mag doen terwijl jij in het buitenland vecht.'

Edgar keek even naar Tom.

'Hij zou niet eens gaan,' snauwde hij. 'Hij is maar wat blij dat hij nog te jong is.'

'Wat bedoel je daarmee?' vroeg vader.

'Precies wat ik zeg.'

'Dat is een onaardige...' begon vader, maar Tom onderbrak hem.

'Het is waar,' zei hij.

Daar waren we allemaal even stil van. Het was het eerste wat hij zei.

'Wat?' zei vader nijdig. 'Je trapt toch niet in die laffe praatjes van de socialisten, hè? Ik duld geen pacifist onder mijn dak!'

'Nee, vader,' zei Tom. Ik kon merken dat hij bang was voor vader. 'Nee,' zei hij. 'Ik ben geen pacifist. Maar vechten wil ik ook niet.'

Vader wilde hem afkappen, maar Tom was zo dapper om door te gaan.

'Ik wil voor arts studeren,' zei hij. 'Net als u.'

Wat kon vader daarop zeggen? Hij kalmeerde enigszins.

'Dat is heel mooi, Thomas,' zei hij. 'Heel mooi. Maar nu is het oorlog. Als je de kans krijgt je steentje bij te dragen, moet je het doen! Dan moet je het leger in en vechten.'

Hij dacht kennelijk dat de zaak daarmee rond was, maar om de een of andere reden haalde ik het in mijn hoofd iets te zeggen.

'Waarom moet hij vechten als hij dat niet wil?' vroeg ik.

Edgar gaf me de wind van voren. 'Dom wicht! Wat weet jij ervan? Bemoei je er niet mee.'

Dat verbaasde me niets. Edgar praat altijd zo tegen mij. Als hij tegenwoordig al de moeite neemt om iets tegen me te zeggen.

Ik voelde dat mijn wangen begonnen te branden.

'Ik heb je laten blijven omdat ik verwacht dat jij je mond houdt,' zei vader. 'Jij hebt geen verstand van die zaken. En daarmee uit.'

Hij stuurde me naar mijn kamer. Tom dwong zich naar me te lachen toen ik ging, maar terwijl ik de trap op liep hoorde ik het geharrewar doorgaan.

Ik sloot me op en keek naar zee. Eigenlijk had ik me gekwetst moeten voelen door Edgar en vader, maar ik ben gewend aan hun manier van doen. Zo gedraagt vader zich nu eenmaal tegen iedereen in huis. Niet alleen tegen mij. Ook tegen moeder. Ik vraag me wel eens af hoe zij was toen ze trouwden, maar ik kan me er geen voorstelling van maken. Ik ken haar alleen zoals ze nu is en hoe ze vader altijd op zijn wenken bedient. Maar toch houdt hij van ons, dat weet ik gewoon. En Edgar, tja, het is eigenlijk nog maar kort geleden dat we kinderen waren en wel plezier met elkaar hadden. Het is alleen maar jammer dat het nu niet meer zo is. We zijn allemaal een nieuwe fase in gegaan. Vroeg of laat moest dat gebeuren, zelfs voor Tom en mij. Ik weet dat ik nooit meer zo vertrouwd met hem zal zijn als toen we kinderen waren, hoe ik mijn best er ook voor doe.

Ik staarde naar de zee. Ik zag voor de helft mezelf weerspiegeld in het raam en voor de helft de buitenwereld. Achter de golven, niet eens zo ver weg, kon ik me Frankrijk voorstellen. Iedereen die ik kende, de hele stad, was opgetogen over de oorlog en achteraf hadden we gehoord dat er massaal feest was gevierd in Londen, op Trafalgar Square.

Over het water keek ik naar Frankrijk, met het gevoel dat ik de enige ter wereld was die de oorlog een slechte zaak vond. Waar niets dan slechts uit voort kon komen.

98

Toen ik vanochtend naar beneden ging om te ontbijten hoorde ik mijn ouders praten. Ik was laat. Moeder had me laten uitslapen na het gedoe met het ongeluk.

Iets deed me besluiten om even in de duisternis van de trap te blijven staan. Ik greep de donkere trapleuning van mahonie vast, die vertrouwd en glad aanvoelde onder mijn vingers. Ik weet nog dat ik daar als kind vaak naar de bedrijvigheid van de kokkin en het vorige dienstmeisje zat te kijken. Ik ben nu veel te groot om nog op de trap te zitten, al zou ik het nog graag doen. Toen hoorde ik moeder iets zeggen over de tram.

'Onzin!' zei vader, zo hard dat ik hem duidelijk kon horen.

Snel ging ik de trap af en ik tastte aarzelend naar de deurknop van de eetkamer. Ik wist dat ze zouden zwijgen zodra ik naar binnen ging.

'Maar Henry,' zei ze, 'stel je voor dat we wél waren ingestapt? Dan waren we nu misschien wel ernstig gewond geweest. Of dood.'

Ik verstond vaders antwoord niet.

'Geef jij dan eens een verklaring,' zei moeder.

'Ik pieker er niet over, want het is belachelijk.'

Opeens hoorde ik vader naar de deur lopen. Hij vloog open. 'Alexandra!' snauwde hij. 'Altijd maar kijken, altijd maar afluisteren!' Hij rukte zijn jas en hoed van de kapstok en wilde het huis uit gaan.

'Vader, wacht!' Hij had zijn armband vergeten.

Zodra de oorlog uitbrak, werd hij beëdigd als burgeragent bij de gemeentepolitie van Brighton. Hij is 'burgeragent III' van district A. Twee, drie avonden per week loopt hij wacht in onze wijk. Wat dat precies inhoudt weet ik niet, maar hij moet een armband dragen om zijn functie te tonen.

Hij keek me aan en pakte de armband. 'Ga kijken of je je moeder kunt helpen,' zei hij.

'Waarmee?' vroeg ik, heel zacht. De deur was al dicht.

Tegenwoordig is hij bijna altijd van huis door zijn bijzondere politiefunctie en zijn werk. De nieuwe middelbare school was nog maar een jaar open toen de bestemming van het gebouw door de oorlog veranderde in het Dyke Roadhospitaal, waar vader nu geneesheer-directeur is. Ook de St.-Marcus-school is in een militair ziekenhuis veranderd. Zelfs het in Indische stijl gebouwde paleis het Pavilion is een hospitaal geworden, voor gewonde Indiërs! Dat was een idee van de koning; misschien meende hij dat ze zich daar meer thuis zouden voelen.

's Avonds, toen vader nog wachtliep, probeerde ik met moeder te praten, terwijl zij wat naaiwerk zat te doen.

'Moeder,' vroeg ik, 'voelt u zich weer wat beter?'

Ze hield op met naaien en keek me aan. 'Hoe bedoel je, Sasha?' vroeg ze met een glimlach.

'Het ongeluk,' zei ik. 'Ik dacht...'

Haar glimlach verdween. 'We zijn toch niet gewond geraakt. Wat bedoel je toch?'

'Nee, we zijn niet gewond geraakt, maar het was wel een schok.'

Ze keek de andere kant uit. 'Ja,' zei ze, 'het scheelde maar een haartje. Als jij niet...' Ze zweeg.

'Wat?' vroeg ik. Ze gaf geen antwoord. Ik probeerde het opnieuw.

'Als ik niet wat? Als ik niet gezegd had dat ik die tram niet in wilde? Bedoelt u dat?'

'Ik ben bezig, Alexandra. Val me niet lastig.'

Ik wilde aandringen, al was het juiste moment al verstreken. Ik was niet langer Sasha, maar Alexandra. Maar ik kon het niet loslaten.

'Dat is het 'm, hè?' zei ik. 'Dat zit u dwars. Hoe kon ik weten dat we niet met die tram moesten gaan?'

'Zo is het genoeg!' zei ze. 'Je wíst niet dat we niet met de tram moesten gaan. Ik besloot te gaan lopen. We hebben geluk gehad. Meer niet.'

'Maar ik wist het wel!' hield ik vol. 'Ik wist het.'

'Hou op met die malligheid,' viel ze opeens boos uit. 'En nu ga je naar bed voordat je vader thuiskomt.'

Ik was zo verbaasd dat ze tegen me schreeuwde dat ik even roerloos bleef staan. Toen holde ik naar boven.

Evenals de zitkamer heeft mijn kamer vrij uitzicht op zee, ook vanaf mijn bed. Iets mooiers dan mijn uitzicht heb ik niet. Over de tuintjes in de straat en de stad erachter kan ik de zee zien. Toen we naar Clifton Terrace verhuisden heb ik gesmeekt of ik een zolderkamer mocht om de zee te kunnen zien, en ik kreeg mijn zin, al protesteerden Edgar en Tom nog zo hevig. Ik geloof dat het de enige keer was dat ik als kind een scène heb geschopt. Molly en Kokkie wonen in het souterrain en de woonverdiepingen worden dus gedeeld door moeder, vader en mijn broers.

Ik ging op mijn bed zitten piekeren. Ik piekerde over de oorlog en wat die aanrichtte in ons leven. Maar kan ik de oorlog wel de schuld geven van de ruzies tussen vader en Edgar en Tom? Of van het feit dat moeder tegen me geschreeuwd heeft? Of sluimerde dat alles altijd al en komt het nu aan het licht? Ik weet het niet, maar ik wil dat het goed gaat met ons gezin.

De golven rolden over het zomerstrand bij avond, als ver onweer bij een toneeluitvoering. Ik keek over zee naar de donkere horizon en voelde het noodweer naderen van over het water. Ik wist dat de donder die nu over de velden van Frankrijk rolde geen toneelstuk was.

97

Vandaag was het een zonnige, maar ijzige dag, een teken dat de winter voor de deur staat.

Voor het eerst na het ongeluk ging ik weer naar buiten. Vanaf zee waaide een bitterkoude wind over de boulevard toen ik naar de kade liep. Hij sneed dwars door mijn kleren, al had moeder me gedwongen me warm aan te kleden.

Op een andere zonnige dag, maar dan in augustus, was Edgar vertrokken om bij het leger te gaan. Hij had besloten zijn rechtenstudie op te schorten en niet eerder dan in de herfst terug te gaan naar de universiteit in Oxford. Vader had dan ook een paar telefoontjes gepleegd en zoals hij al voorspeld had kreeg Edgar zijn officiersaanstelling. Hij was in het vooropleidingskamp geweest, hij had goed onderwijs genoten. Het leger zat om hem te springen. Hij bracht een paar maanden op een kazerne door, leerde drillen en gedrild worden en al die andere dingen die officiers moeten kunnen.

We kregen brieven waarin hij klaagde dat de oorlog al voorbij zou zijn voor hij klaar was, maar hij had zich geen zorgen hoeven te maken. Het nieuws uit Frankrijk was slecht. In de *Sunday Times* verscheen een akelig artikel over zware verliezen bij de Britten en de algehele onoverwinnelijkheid van de Duitsers. De oorlog was nog niet begonnen of hij was al in een verschrikkelijke impasse geraakt en elke dag kwamen er in Folkestone en Harwich schepen afgeladen met gewonden aan.

Er was ons voorgehouden dat met Kerstmis alles achter de rug zou zijn, maar de kerstdagen gingen voorbij en de oorlog ging door. In het nieuwe jaar kreeg Edgar de post waarop hij had gewacht en ging hij naar Frankrijk. Sindsdien is er al bijna weer een jaar verstreken en nog altijd beheerst de oorlog ons hele leven.

96

Ik heb al zo vaak aan vader gevraagd of ik in het ziekenhuis mag helpen, maar steeds weigert hij. Volgens hem is de verpleging geen fatsoenlijk beroep voor een meisje van goede komaf. Eerlijk gezegd vindt hij dat ik helemaal niet hoor te werken, maar domweg moet wachten op de ware Jacob om mee te trouwen. Die 'ware Jacob' moet rijk zijn en van vooraanstaande familie. Maar ik wil iets doen. Het is mijn grootste wens om verpleegster te worden. Dat is al ontstaan toen ik klein was. Ik heb altijd mensen willen helpen, maar ik kon het niet. Als je een klein meisje bent, neemt niemand je serieus. Het wordt je niet toegestaan om mensen te helpen.

Mensen als Clare.

Ik wilde alleen maar helpen, maar niemand wilde naar me luisteren. Dat heeft op de een of andere manier een muur opgetrokken tussen mij en de andere gezinsleden, een muur van schuldgevoel en angst.

Nu ben ik groot en nog altijd wil ik de verpleging in. Edgar lacht me erom uit. Vanaf dat ik klein was heeft hij me ermee geplaagd, zei dat ik er maar bang van zou worden en zou flauwvallen zodra ik bloed zag. Dan zei Tom tegen hem dat hij zijn mond moest houden en vervolgens gingen ze elkaar te lijf, tot ik begon te huilen en ze ophielden.

Maar blijkbaar is er iets veranderd, want vanavond hoorde ik moeder en vader praten nadat ze naar bed waren gegaan. Ik kan hen vaak horen op mijn kamer. Ik denk niet dat ze beseffen hoe dun het plafond en de vloer tussen hun slaapkamer en die van mij zijn.

Ik hield op met mijn haar borstelen, ging gebukt op de vloer zitten en drukte mijn oor tegen de planken.

'Ze wordt al echt een jonge vrouw,' hoorde ik moeder zeggen. 'Ze is mooi, maar vooral heel intelligent. En ze is zeventien. Je weet dat ze iets doen wil.'

'Toch is het niets voor haar,' antwoordde vader. 'Je weet niet hoe ze zijn, Dorothy. Het is een onbeschaafd stel meiden.' Hij doelde op de verpleegsters in zijn ziekenhuis.

'Dat kan wel zo zijn,' zei moeder, 'maar ze doen goed en nuttig werk. En alles is aan het veranderen. Door de oorlog wordt alles anders.'

'Je hoeft mij niets te leren over mijn eigen beroep,' zei vader kortaf. 'Alexandra zou met een heel verkeerd soort mensen te maken krijgen als ze verpleegster werd.'

'Ze kan bij de vrouwelijke noodhulp gaan. Die is alleen voor welopgevoede vrouwen. Alleen al het uniform kost twee pond.'

Vader snoof. 'Als je met welopgevoede vrouwen suffragettes bedoelt...'

'Nou ja, ze zal toch iets moeten doen. Het is allemaal goed en wel dat we haar nu privéles bij juffrouw Garrett laten volgen, maar hoe moet het daarna? Je weet hoe ze is. Ze zit maar, ze kijkt maar. Ze moet iets omhanden hebben.'

'Heb je het nu over Alexandra? Of begin je soms weer over je eigen klachten...?'

'Nee Henry, nee,' zei moeder snel. 'Je weet dat ik tevreden ben. Echt. Maar Alexandra moet iets te doen hebben.'

'Misschien,' zei vader. 'We zullen zien.'

'En ze heeft altijd al verpleegster willen worden.'

'En je weet hoe dat komt!' zei vader, met plotselinge stem-verheffing. 'Je weet wanneer dat begonnen is!'

Moeder wist hem te kalmeren en ze praatten met gedempte stem verder, zodat ik hen niet meer kon verstaan.

Ik was opgewonden door wat ik gehoord had. Het duurde lang voor ik kon slapen, maar toen ik sliep droomde ik dat ik met Clare speelde in die zomerse tuin, waar ze weer levend was.

95

Met Pasen, ongeveer een halfjaar geleden, kwam Edgar met verlof thuis. We zaten om de eettafel voor de zondagse lunch, alsof alles heel gewoon was, maar het was niet meer hetzelfde.

Hij was maar een paar maanden weggeweest, maar moeder staarde naar hem alsof ze hem nooit eerder had gezien. Hij zag er heel knap uit in zijn kapiteinsuniform, dat is zeker.

'Nou, mijn jongen,' zei vader stralend. 'Vertel ons eens over het leger.'

Tom trok een gezicht, wat alleen ik zag.

'Het is eigenlijk maar een dooie boel,' zei Edgar. Hij kon zijn teleurstelling niet verbergen. 'We horen bij de reservetroepen. En de andere officieren... ze maken het me vaak moeilijk, omdat ik een speciale reservekapitein ben.'

'Geeft niets,' zei moeder met een glimlach. 'Je doet je best.'

Vader knikte. 'Jouw kans komt echt nog wel,' zei hij.

'Ja, dat is zo,' zei Edgar. 'En jij krijgt je kans ook nog, Tom. In juli word je achttien.'

We keken allemaal naar Tom.

'Wat heb je daarop te zeggen, Thomas?' zei vader. 'Edgar heeft gelijk.'

'Ik wil arts worden,' zei Tom langzaam.

Die middag maakten we een wandeling over de boulevard, langs de West Pier en door naar de Brunswick Lawns. We moeten wel de indruk gewekt hebben dat we een mooi, trots gezin waren. Moeder en vader liepen gearmd. Vader was gerespecteerd en bekend, een man die onderweg door andere mannen werd toegeknikt, met in zijn kielzog zijn kinderen, ik in het midden, Tom aan mijn rechterkant en Edgar in zijn uniform links van me.

Het was druk in het park, al zou het er vóór de oorlog op een mooie middag nog veel drukker zijn geweest en dan zouden de dames zich nog fleuriger hebben uitgedost. We kwamen een echtpaar tegen dat we kenden, met hun gehandicapte zoon in een rolstoel. Vader had de jongen jarenlang behandeld, maar zonder veel succes. Zijn vader lachte naar ons.

'U hebt een mooie dochter, mevrouw Fox!' zei hij. Moeder glimlachte, maar ik lette meer op de zoon dan op de vader.

Ik keek weg. De zon scheen, boven ons hoofd krijsten de meeuwen en dicht bij ons zag ik opeens iets blauws bewegen. Een jonge vrouw in een donkerblauwe jurk kwam op ons af. Ze was met twee vriendinnen, meisjes die niet veel ouder waren dan ik, ook chic gekleed. Voor we er erg in hadden sprak het meisje Tom aan.

Ze was heel mooi en eerst glimlachte Tom nog toen ze hem iets in zijn hand drukte. Maar toen hij zag wat ze hem had gegeven, betrok zijn gezicht.

Het was een wit veertje.

Het meisje mompelde nog iets en ging toen snel terug naar haar vriendinnen.

'Maar ik ben nog niet eens achttien,' riep Tom haar na.

We maakten rechtsomkeert naar huis en niemand zei een woord.

94

We waren nog niet binnen of er ontstond ruzie.

Edgar hoefde niet eens iets te zeggen. De uitdrukking op zijn gezicht sprak boekdelen en Tom wist precies wat hij dacht.

'Het is een schande!' brieste vader.

'Maar ik ben nog niet eens achttien,' zei Tom steeds weer. 'Waarom heeft niemand van jullie dat tegen haar gezegd?'

'Omdat het waar is dat jij de oorlog niet in wilt!' zei Edgar. 'Het doet er niet toe of je wel of niet achttien bent. Er bestaat een naam voor mensen als jij.'

'Edgar!' riep moeder. 'Hou op!'

Ze probeerde hen ervan te weerhouden elkaar in de haren te vliegen, maar het haalde niets uit. Ik stond naast haar, keek toe en had zonder het zelf te merken haar hand gepakt.

'Het zal alleen maar erger worden,' zei vader, 'naarmate je ouder wordt. Als de mensen het weten. Je moet je steentje bijdragen.'

'Kunt u nooit iets anders zeggen?' schreeuwde Tom. Ik huiverde. Geen van ons had ooit zijn stem verheven tegen vader, maar vreemd genoeg liet hij het gaan.

'Dat is het enige wat ertoe doet,' zei hij.

'Wat?' vroeg Tom. 'De oorlog ingaan? Anderen doodschieten?'

'Het gaat niet om het doodschieten,' zei Edgar. 'Het gaat

erom dat je je steentje bijdraagt. Zo simpel is dat. We vechten voor wat goed is.'

'Alsof jij gevochten hebt,' spuugde Tom hem toe.

Dat maakte Edgar pas goed kwaad. Hij stormde op Tom af en even zagen ze er weer uit als de kleine jongens die ze geweest waren; Tom die zijn best deed om Edgar partij te geven, al was hij vijf jaar jonger en veel minder sterk.

'Daar kan ik toch niks aan doen!' schreeuwde Edgar. 'En zodra ik de kans krijg zal ik vechten. Ik ben geen lafaard!'

'En ik wel?' vroeg Tom woedend.

Misschien had Edgar het niet zo bedoeld. Ik denk eigenlijk van niet, maar nu het woord gevallen was, leek het onmogelijk dat hij het terug kon nemen.

'Ja. Je bent een lafaard.'

Tom stond als verstijfd, met wit weggetrokken gezicht en op elkaar geklemde kiezen. Hij haalde diep adem.

'Het enige wat ik wil,' zei hij uiteindelijk, 'is medicijnen studeren. Ik wil veel liever het leven van mannen redden dan ze overzee doodschieten.' Hij liep rakelings langs Edgar heen, vermeed vaders ogen en ging zo bedaard als hij kon opbrengen naar boven.

93

Toen we kinderen waren hadden mijn broers vaak ruzie, en af en toe raakte ik er ook in betrokken. We hadden ruzie om kleinigheden, zoals dat gaat met kinderen, en soms gingen Tom en Edgar elkaar te lijf omdat Edgar gemeen tegen mij had gedaan. Destijds leek het van levensbelang, maar toen we opgroeiden ging het verschil in leeftijd tussen Edgar en Tom en mij meetellen. In plaats van elkaar aan te vliegen sloegen die twee aan het bekvechten, en terwijl Tom en ik nog dol op elkaar waren werd Edgar steeds afstandelijker en besteedde hij geen aandacht meer aan mij.

Aan dat alles moest ik denken door de ruzie om het witte veertje. Net als destijds had ik het allemaal aangezien, maar deze keer ging de ruzie om iets wat echt een zaak van leven en dood was.

Dat was een halfjaar geleden, met de paasdagen van 1915.

Sindsdien is er zoveel veranderd. Edgar is de oorlog in gegaan en heeft zijn zin gekregen. Hij schreef ons dat zijn bataljon opgeroepen was en binnenkort echt in actie moest komen. Moeder is erg ongerust, maar ze doet haar best het niet te laten merken. Vader is trots.

Tom is weggegaan, maar niet het leger in zoals vader en Edgar hadden gewild. Hij is naar Manchester vertrokken om medicijnen te studeren.

Ik mis hem. Mijn broer die bijna een tweelingbroer van me is, al schelen we een jaar.

Maar er is ook iets goeds gebeurd. Ik weet niet hoe het komt, maar vader heeft er eindelijk in toegestemd dat ik een paar uur mag helpen op de zalen van het Dyke Roadhospitaal, om te zien wat de verpleging echt inhoudt.

Ik ben er opgewonden van; dit is mijn kans te laten zien dat ik nuttig kan zijn, dat ik mensen kan helpen.

Morgen zal ik weten wat de toekomst voor me in petto heeft.

92

'Zuster Cave leidt je wel rond,' zei vader. 'Blijf in haar buurt. Praat alleen als je iets gevraagd wordt, en doe wat ze je opdraagt. En zorg dat je niemand in de weg loopt.' Hij liep weg door de vaag verlichte gang die naar zijn kantoor leidt.

De hoofdzuster leek ongeveer van mijn moeders leeftijd en ze leek me heel vriendelijk, maar door vaders houding was ik zenuwachtig. Als er iets misging, zou hij me nooit toestaan hier te blijven.

We duwden de deuren die gedeeltelijk van glas waren open en kwamen op de zaal.

'Blijf hier wachten terwijl ik het karretje haal,' zei de hoofdzuster.

Ik zag bedden, maar dat was het enige waardoor het nog op een ziekenzaal leek. Het gebouw was pas twee jaar geleden geopend als jongensschool, maar de oorlog was nog niet begonnen of het werd al in gebruik genomen als militair hospitaal. Door die noodmaatregel zijn de bedden heel dicht bij elkaar gezet, om de beschikbare ruimte zo goed mogelijk te benutten.

Het was er heel stil. Ik weet niet wat ik verwacht had, maar het verbaasde me dat er zo weinig lawaai was. Ik deed een paar stappen naar voren en zag een andere kamer tegenover het vertrek waarin de hoofdzuster was verdwenen.

De deur stond open. Er was iets wat me dwong nog een stap te doen en ik zag een man in pyjama op een houten stoel zitten. Hij was nog jong, maar zijn haar werd al dun.

Hij staarde gespannen voor zich uit, maar toen ik verder naar voren kwam om te zien waar hij naar keek, zag ik niets anders dan een lege witte muur.

Ik schrok van geratel achter me, draaide me om en zag de hoofdzuster het karretje mijn richting uit duwen.

'Zo, Alexandra. Of zal ik je nu maar zuster noemen?'

Ik glimlachte en keek met een vragend gezicht weer terug naar de man in de witte kamer.

De hoofdzuster kwam bij me staan. 'Hij?' zei ze. 'Zenuwpatiënt.'

Ze zei het luid genoeg om door hem verstaan te worden, maar hij liet niet blijken dat hij haar gehoord had.

'Wij kunnen niets voor hem doen.' Ze benadrukte het woord 'wij'.

'Zit hij daar altijd zo?' vroeg ik. 'Praat hij niet?'

'Heel soms,' zei ze. 'Maar het is allemaal wartaal.'

'Hoe heet hij?'

Ze keek op een status die bij de deur hing. 'Evans,' zei ze. 'David Evans. Hij komt uit Wales. De hemel mag weten hoe hij hier beland is.' Ze liep door met het karretje en ik ging achter haar aan.

We gingen van bed naar bed, en de hoofdzuster deelde hier en daar medicijnen uit. Ze gaf morfine aan degenen die pijn hadden, maar bij de meeste patiënten was er niets te doen.

Toen kwam het moment dat ik gevreesd had.

'We moeten zijn verband verschonen,' zei de hoofdzuster.

Ik keek neer op de man in het bed. Hij was zeker twee keer zo oud als ik, en ik voelde mijn lippen trillen. Hij was maar half wakker, maar toen de hoofdzuster zijn lakens terugsloeg siste hij van de pijn en zijn ogen schoten wijd open.

'We doen het zo vlug mogelijk,' zei de hoofdzuster tegen hem, en hij knikte. Zijn gezicht bleef volkomen uitdrukkingsloos.

De wond zat in zijn dij, en de zuster knipte met vlugge vingers het oude verband los en liet het in een ijzeren bak onder aan het karretje vallen.

'Mooi,' zei ze. 'Vandaag hoeven we je niet met jodium te kwellen.' Ze glimlachte naar hem en keerde zich toen naar mij. 'Geef eens aan,' zei ze.

Ik overhandigde haar het schone verband en ze deed het om zijn dij. Ze werkte zo snel dat ik amper tijd had om te beseffen hoe walgelijk de wond was, hoe weinig spieren er zaten op plekken waar ze hadden moeten zitten.

Alles ging goed, en ik was trots op mezelf, al voelde ik me nog steeds zenuwachtig.

Toen ging het helemaal mis.

We kwamen bij het laatste bed.

De man die daar lag was jonger dan de anderen.

De hoofdzuster glimlachte.

'Hier hebben we ook niet veel te doen,' zei ze. 'Hij is bijna beter. Gasvergiftiging. Zijn ogen en longen waren beschadigd, maar hij is aan de beterende hand. Zit weer in Frankrijk voor hij het weet.'

'Is zuster Gallagher er vandaag niet, zuster?' vroeg de man.

'Vandaag moet je het met mij doen. En dit is Alexandra. Ze is onze gast en ik laat haar de fijne kneepjes van het vak zien. Jij mag als proefkonijn dienen. De longen dus,' zei de zuster. 'En kijk. Kijk eens goed naar zijn ogen. Zie je dat de traanbuizen ontstoken zijn?'

Ik boog me over de man en tuurde in zijn ogen.

'Het is natuurlijk veel erger geweest. Het gaat nu een stuk beter met hem.'

Dat was het laatste wat ik de zuster hoorde zeggen.

Ik keek de man in zijn ogen, maar ik zag geen ontstoken traanbuisjes. Ik zag een leeg bed. Ik zag de dood.

Ik geloof dat ik van top tot teen begon te beven. Toen hoorde ik de man spreken.

'Mijn God,' zei hij. 'Mijn God. Die ogen van haar!' Hij probeerde bij me vandaan te komen, lag woelend in zijn bed. 'Haar ogen!' schreeuwde hij weer, en in de andere bedden begonnen ook patiënten te roepen.

Hij moest hoesten en stikte er bijna in.

'Wat bedoelt hij?' vroeg ik. 'Wat is er mis met...?'

'Er is niets mis met je,' zei de hoofdzuster snel, 'maar je kunt beter naar huis gaan. Ik zeg het wel tegen je vader.'

'Nee!' riep ik uit.

'Het geeft niet, het is jouw schuld niet. Ga nu maar.'

Ze keerde zich om en begon de wild om zich heen slaande en hoestende man te kalmeren.

Bij mijn aftocht keek ik nog een keer om en zag dat hij me nastaarde. Ik was te ver weg om hem te kunnen verstaan, maar ik kon het van zijn lippen lezen.

'Haar ogen!'

Nu is het laat en ik lig in bed.

Ik hoefde niet lang te wachten tot vader thuiskwam. Hij ging regelrecht naar mijn kamer.

'Ik heb gehoord dat er problemen waren,' zei hij in de deuropening.

'Die hadden niets met mij te maken,' begon ik te protesteren, maar hij hief afwerend zijn hand.

'Dat zeg ik niet. Het hospitaal ligt vol mannen die er slecht aan toe zijn, Alexandra. Soms zijn ze er niet alleen lichamelijk slecht aan toe.'

Ik knikte. 'Komt het goed met hem?' vroeg ik.

'Lichamelijk wel, ja. Hij kan over een week naar huis.'

Ik zei niets. Ik sprak niet uit wat ik allemaal gedacht had.

Vader deed een stap de kamer in. 'Je hebt het goed gedaan, vandaag,' zei hij.

'Die man... weet u zeker dat het goed met hem komt?'

'Absoluut zeker,' zei vader. 'Maar bedenk dit wel. Als je verpleegster wilt worden, zul je meer dan genoeg mannen zien met wie het niet goed komt.'

Ik heb geprobeerd te slapen, maar het lukt me niet.

Vader zegt dat het goed komt met die man, de zuster zei het ook, maar ik weet dat hij al snel doodgaat.

Ik weet het zeker.

En er is nog iets. Dat wat hij over mijn ogen zei. Ik heb de hele avond naar mezelf in de spiegel zitten kijken. Ik zie mijn lange donkere haar, de witte huid van mijn gezicht, en het rood van mijn lippen, maar in mijn donkere ogen zie ik niets.

Niets.

91

Er is iets met me aan de hand.

Ik wist meteen dat die man dood zou gaan. Ik zag niets specifieks, alleen een leeg bed waar een lichaam was weggehaald, een lichaam ontdaan van leven.

Ik wacht al de hele dag tot vader van zijn werk komt. Ik moet het hem vragen, maar ik ben ook bang om het te vragen, want ik weet het antwoord al. Maar ik heb er niet aan gedacht dat hij vanavond als burgeragent wacht moet lopen, zodat het nog wel een paar uur duurt voor hij thuiskomt.

Er is iets met me aan de hand wat ik niet begrijp. En toch wordt het steeds duidelijker.

Clare.

Ik was nog maar vijf toen ik zag wat er met Clare ging gebeuren. Welke vorm nemen de gedachten van een vijfjarige aan? Ik sprak ze zonder aarzeling uit, zonder een gevoel van onbehagen. Ik zei wat ik dacht.

Bij George, de vriend van Edgar, leek het nog een droom. Bij de soldaat in de tram was het een heftig inzicht, maar ik wist niet goed wat ik erbij voelde. Maar gisteren op de ziekenzaal begon ik iets te zien, kreeg ik een visioen van de dood dat ik onmiddellijk begreep.

En als ík al iets zag, had hij ook iets gezien. Hij zag iets in mijn ogen wat hem de stuipen op het lijf joeg.

Wat heeft het te betekenen als ik inderdaad de toekomst kan voorspellen? Het is alsof je aan het begin van een verhaal het einde al weet, bijna alsof je een boek van achteren naar voren leest.

En wie wil er nu weten hoe zijn eigen verhaal eindigt?

90

Er zijn drie dagen voorbijgegaan sinds vader thuiskwam en me vertelde dat hij dood was.

Hij heette John Simpson. Elke dag vroeg ik vader hoe het met hem was en kreeg ik te horen dat het goed met hem ging.

'Probeer je de betrokken verpleegster uit te hangen?' vroeg hij, terwijl hij zijn jas uittrok en in de hal ophing. 'Is het 'm dat?'

Ik haalde mijn schouders op, maar toen ik het de dag daarna vroeg werd hij kwaad en zei hij dat ik nog lang geen verpleegster in zijn ziekenhuis was en dat ik me maar beter kon bezighouden met het steunen van moeder, wat dat ook moge betekenen. Waar heeft ze steun bij nodig? Ze mag nooit iets doen.

De derde dag dat hij thuiskwam zag hij meteen dat ik hem in de hal stond op te wachten.

Zijn gezicht stond grimmig en ik was bang, maar niet zozeer voor zijn woede.

Hij wilde langs me heen lopen naar de salon, maar ik ging voor hem staan.

'Hoe is het met hem?'

Vader keek me kwaad aan.

Ik liep achter hem aan naar de salon.

'Simpson,' zei ik. 'Hoe gaat het met hem?'

'Alexandra, hou erover op!' schreeuwde vader. 'Je lijkt wel bezeten!'

Toen wist ik het.

'Hij is dood, hè?' Ik flapte de woorden eruit.

Ik wist wat ik weten wilde. Later hoorde ik dat Simpson plotseling longontsteking had gekregen en omdat zijn longen al zo verzwakt waren, was hij snel bezweken.

'Waarom bent u boos op me?' vroeg ik aan vader. 'Het is mijn schuld toch niet!'

'Natuurlijk niet!' schreeuwde hij. Daarop kwam moeder de kamer in gehold.

'Maar waarom denkt u dat ik naar hem bleef vragen?' vroeg ik. Ik draaide me om naar moeder. 'U weet toch ook dat ik steeds naar hem bleef vragen!'

Ze keek van mij naar vader, liep toen naar hem toe en pakte zijn arm om hem te kalmeren.

'Want ik wist dat het ging gebeuren,' zei ik. 'Ik wist het.'

'Je wist helemaal niets,' zei vader. Ik kon zien dat hij zowel moe als kwaad was. 'Je bent een onnozel meisje dat te gevoelig is om verpleegster te kunnen zijn. Er is een man overleden, Alexandra! Je kunt minstens wat respect tonen. En ga nu maar naar je kamer – snel.'

Dus ging ik, maar halverwege de trap besefte ik al dat het dom van me was geweest om iets te zeggen. Ze willen er niet over praten, en vader vindt het nu vast niet meer goed dat ik terugga naar het ziekenhuis.

Het was knap stom om iets te zeggen, maar ik kon het niet laten.

Ik ben bang.

Ik heb vier keer de toekomst gezien, en elke keer hield de toekomst de dood in.

89

Het is november 1915.

De oorlog gaat verder, en niets wijst erop dat het met Kerstmis voorbij zal zijn, dit jaar niet en ook volgend jaar Kerstmis niet. Het lijkt wel of één enkel geweerschot een lawine heeft veroorzaakt die onstuitbaar van de berg davert met een lawaai van meer dan duizend kanonnen. Elke dag brengt een nieuw probleem, een nieuwe slag, een nieuwe politieke strijd. Ik begrijp er niet veel van, maar ik heb de indruk dat de lawine op geen enkele manier tegengehouden kan worden.

Toch is er ook minder somber nieuws. Edgar schreef een paar dagen geleden dat hij binnenkort waarschijnlijk met verlof mag. Het zal fijn zijn om hem te zien en moeder zal zich er veel rustiger bij voelen. Als een van mijn broers een paar dagen om ons heen is doet alles weer wat normaler aan. Het is zo stil in huis zonder hen. Tom schrijft bijna om de dag vanuit Manchester. Ik ben er trots op dat hij doet wat volgens hem goed is, maar ik weet dat het hem zwaar valt.

Hij meldt dat hij op straat opnieuw een wit veertje heeft gekregen. Toen vader bij dat deel van de brief kwam, kreunde hij en weigerde het hardop te lezen, maar naderhand hebben moeder en ik het zelf gelezen.

Ik hoop voor hem dat hij de kans krijgt zijn studie af te maken. In de krant staat dat de regering van plan is de dienstplicht in te voeren, en dan moet hij eraan geloven. Dan moet hij tegen wil en dank het leger in. Maar misschien kan hij dan bij de militairgeneeskundige dienst komen, zodat hij in ieder geval als arts kan werken.

Intussen blijf ik gewoon mijn lessen volgen bij juffrouw Garrett thuis, samen met de drie andere meisjes die privéonderwijs van haar krijgen. En ik doe wat ik kan om vader over te halen me terug te laten gaan naar het hospitaal. Tot nu toe weigert hij er met me over te praten, al heeft hij zelf gezegd dat ik het goed gedaan had op mijn eerste dag daar.

Ik weet waar hij bang voor is.

88

Edgar schrijft zelden. De laatste keer was om ons over zijn verlof te vertellen, maar ook meldde hij dat zijn bataljon eindelijk in actie was gekomen.

Vader las die brief aan het ontbijt aan moeder en mij voor. Edgar is tot commandant bevorderd. Hij is vierentwintig. Die twee feiten lijken niet samen te gaan, maar het is waar. Hij geeft leiding aan een compagnie van twintig man.

'Ik zal Thomas schrijven,' zei moeder.

'Waarom?' vroeg vader en hij keek op van Edgars brief.

'Om te vragen of hij ook kan komen. Als Edgar thuis is.'

'Waarom?' vroeg vader weer.

'Omdat het fijn is als we allemaal weer bij elkaar zijn.'

Vader legde Edgars brief neer en pakte de krant op.

'En de jongens zullen elkaar toch ook willen zien,' ging moeder verder. 'We moeten proberen zo vaak we kunnen als gezin samen te zijn.'

Vader snoof. 'We weten van tevoren toch niet wanneer hij komt,' zei hij. 'Misschien krijgen we niet eens vooraf bericht. Dan kun je Thomas moeilijk vertellen wanneer hij komen moet.'

'Nou,' zei moeder, 'we zullen zien. Misschien lukt het Edgar wel om het ons bijtijds te laten weten.'

'Welnee,' zei vader.

Moeders kopje rammelde toen ze het op het schoteltje terug-
zette.

'Het zou toch kunnen,' schoot ze uit haar slof. Ik keek op
naar vader, die zijn krant had laten zakken en moeder aanstaarde. Hij stond op en ging zonder nog een woord te zeggen
de kamer uit.

Toen hij weg was stond moeder ook op, zelfs zonder Molly te
roepen om af te ruimen. Ik hoorde haar de achterdeur open-
doen en de tuin in gaan. Ik tuurde naar het tafelkleed van
blauw geruit weefsel. Ik zag er de kruimeltjes van mijn ge-
roosterde brood liggen, en toen zag ik daar dikke tranen uit
mijn ogen op druppen.

Ik wist waarom moeder zo van streek was, en ik voelde het
ook zo.

Ik bleef alleen aan tafel zitten.

87

Ik probeerde er met moeder over te praten.

Er was geen denken aan dat ik vader zelfs maar bereid vond naar me te luisteren.

Maar ze weten niet wat ik voel, wat ik iedere keer voel als het gebeurt. Wat ik dan voel is voor mij even echt als elk ander gevoel, iedere andere emotie op ieder willekeurig moment van de dag.

Hoe kan ik ervoor zorgen dat ze het begrijpen?

Ik kan er met niemand over praten. Moeder wil het niet horen, omdat ze te veel van me houdt. Voor haar zal ik altijd Sasha blijven, haar prinsesje. Ik weet dat ze vindt dat me moet worden toegestaan iets van mijn leven te maken, maar ze is bang dat ze me zal verliezen en ze is te geïntimideerd door vader om me te helpen er iets aan te doen.

Misschien zou ik er met Thomas over kunnen praten, maar hij is hier niet meer. Hij denkt als een wetenschapper, waardoor hij een goede arts zal worden, maar ook staat hij overal voor open. Hij zou in ieder geval willen luisteren. Ik zou het niet eens in mijn hoofd halen om er tegen Edgar over te beginnen.

Misschien kan ik er met juffrouw Garrett over praten. Ik weet niet zo zeker of dat wel verstandig is. Ik zal het zeker niet aanroeren bij de andere meisjes van ons groepje. Ze zijn zo dom, ze doen niets anders dan roddelen en giechelen. En ook daar zijn me een paar vreemde dingen overkomen.

Kleine incidenten, toevalligheden, een samenloop van omstandigheden.

Bij juffrouw Garrett bestuderen we de Ilias, het verhaal van Troje. Van Helena en Paris, van Agamemnon en Clytemnestra. Vandaag brak juffrouw Garrett haar bespreking van de dood van Achilles af en begon over iets anders. Ze vertelde heel levendig en boeiend over terugkerende symbolen in de mythen.

Juffrouw Garrett is een wonder. Ze is niet zo jong meer, maar ondanks het feit dat ze heel mooi is, is ze nog niet getrouwd. Ze heeft de universiteit gedaan en sindsdien geeft ze privélessen. Ze is zo energiek in haar werk. Zo wil ik ook zijn in de verpleging.

Ze had het over duidelijke symbolische betekenissen en intussen wist ik steeds wat ze zou gaan zeggen voor ze het gezegd had. En terwijl ik me daarvan bewust was, herinnerde ik me een droom van vannacht, een heldere droom, waar ik tot die middag niet meer aan gedacht had.

'Ik vertel dit,' zei juffrouw Garrett op dat moment, 'omdat we bezig zijn met de strijd voor de muren van Troje. Dergelijke dramatische gebeurtenissen in de geschiedenis van de mensheid vormen natuurlijk een inspiratiebron voor uitzonderlijke gedachten en beelden.'

Het was vreemd en verre van prettig om haar zo te horen praten. Om haar steeds precies te horen zeggen wat ik al wist dat ze ging zeggen, een paar tellen voordat de woorden ook echt uit haar mond kwamen.

'Zo is er bijvoorbeeld het symbool van de raaf, dat in veel mythologieën voorkomt, zoals de Griekse, de Keltische en de Noorse. De raaf als symbool van het slagveld, een dreigende voorbode van het noodlot en de dood. Waarom? Omdat raven aaseters zijn, die zich volgens de overlevering in zwermen op de lijken van de Griekse en Trojaanse krijgers gestort hebben.'

De raaf.

Dat was mijn droom.

In de droom nam een raaf een duikvlucht naar mijn gezicht, in een warreling van zwarte snavel en veren. De vogel klauwde naar mijn gezicht en ik voelde zijn veren langs mijn haar strijken, rook hun muffe geur. De droom kwam zo sterk terug toen ik daar zat dat ik me van niets anders meer bewust was. De woorden van juffrouw Garrett bereikten me alsof ze van heel ver kwamen. Het is moeilijk te omschrijven, maar ik voelde me zo onwezenlijk alsof ik iemand op een foto was, in zwart-wit, geen echt levend mens.

Ik onderging een afschuwelijk gevoel van afstand, van totale eenzaamheid, ook al waren er vier andere mensen in de kamer.

86

Toen ik gisteren bij juffrouw Garrett zou vertrekken, vroeg ik haar of ik een exemplaar van de Ilias mocht lenen.

Ze keek wat verbaasd.

'Ik dacht dat het je niet interesseerde,' zei ze koeltjes. 'Je had je hoofd helemaal niet bij de les.'

'Mag het?' zei ik, want ik wist niet wat ik anders zeggen moest.

Ze haalde haar schouders op.

'Mag ik alstublieft een boek lenen?' herhaalde ik nog maar eens. 'Ik wil er graag meer over lezen.'

Ik denk niet dat ze me helemaal geloofde, maar ze stemde toe.

Toen de andere meisjes weg waren, ging ze me voor naar een kamer waar ik niet eerder was geweest. Elke centimeter van de wanden was bedekt met boekenplanken. Alleen het raam en de open haard waren niet aan boeken gewijd. Ze trok de gordijnen open om meer licht binnen te laten en begon langs de kasten te lopen.

'De verkorte uitgave die we in de klas gebruiken is een beetje droog. Daar is zoveel uit weggelaten,' zei ze intussen.

Ze ging op een krukje staan en trok een boek van een hoge plank.

'Kijk eens aan,' zei ze. 'Dit was mijn eigen exemplaar toen ik zo oud was als jij. Je mag het lenen.' Ze gaf me het boek aan. 'Behalve de Ilias staan er nog veel meer Griekse mythen in. Ik hoop dat je het mooi zult vinden.'

Ik knikte.

'Ik zal er zuinig op zijn,' zei ik, en ze glimlachte.

Ik ben nog maar net thuis.

Ik dacht aan de tientallen, of eigenlijk honderden boeken in haar kasten en was er trots op dat ze me graag haar eigen, in leer gebonden boekje had willen lenen.

Ik lig in bed te lezen, maar ik weet niet goed waarom. Ik dacht dat ik naar iets bepaalds op zoek was, maar ik besef nu dat ik eigenlijk vooral een goed verhaal wilde lezen om te ontsnappen aan alle verwarring in mijn hoofd. De verhalen zijn vol van de dood, van verschrikkelijke manieren om te sterven, van oorlog en tragedie; maar toch hebben ze iets troostrijks. Zo word ik eraan herinnerd dat wat er nu gebeurt, wat Edgar meemaakt, niet zo ongewoon is. En dat doet me eraan denken dat alles op een dag weer in orde zal zijn. Alles komt goed, als we allemaal ons best doen om het weer goed te laten komen.

85

Gisteren is Edgar thuisgekomen, en precies zoals vader zei werden we van tevoren niet gewaarschuwd. We hoorden het pas toen hij uit de haven van Folkestone een telegram stuurde dat hij op punt stond de trein naar Brighton te nemen. Zelfs als we nu nog contact opnemen met Tom, is de kans groot dat hij pas aankomt als Edgar alweer vertrokken is.

Eigenlijk denk ik dat het misschien ook maar beter is zo, al wil moeder nog zo graag haar gezin bij elkaar hebben.

Het was al erg laat toen Edgar thuiskwam. Moeder zei dat ik niet langer op kon blijven en stuurde me naar bed, maar ik kon natuurlijk niet slapen. Eindelijk hoorde ik hem, ergens na middernacht, want de klok in de hal had al een poosje terug twaalf uur geslagen. Ik hoorde moeders stem, hoog van opwinding maar niet hard. Toen de stemmen van Edgar en vader, diep en rustig.

Na een paar woorden te hebben gewisseld ging hij naar bed – ik heb hem de trap op horen komen. Hij liep over de overloop op de verdieping onder me naar de badkamer. Ik weet niet waarom het zo anders voelde dan anders. Hij was al eerder met verlof uit de oorlog teruggekomen en het was me een raadsel waarom het me deze keer zo'n ander gevoel gaf.

Ik wilde hem zien, maar ik aarzelde. Ik hoorde hem de badkamer uit komen en teruggaan naar zijn oude kamer en ik glipte mijn kamer uit, al zou moeder er boos om worden, en ik keek langs de trap naar de overloop.

'Edgar!' zei ik gedempt en ik zwaaide.

Geschrokken draaide hij zich met een ruk om in de donkere gang bij zijn deur.

'Oh, Alexandra,' zei hij omhoogkijkend. 'Ben jij het. Ga terug naar bed.'

Zijn stem klonk mat, en hij keek me niet aan.

'Tot morgenochtend,' zei ik, in een poging opgewekt te klinken, maar hij had de deur al achter zich dichtgetrokken.

Ik lag wakker en luisterde naar de geluiden van het huis. Planken kraakten, de novemberwind ritselde door de kale takken van de magnolia onder mijn raam en joeg de gevallen bladeren langs de hoge stoep van Clifton Terrace. Ik was me ervan bewust dat mijn ouders en Edgar in hun kamers lagen te slapen, verloren in hun eigen dromen, en alles leek bijna weer gewoon, al ontbrak Thomas.

84

Ik heb Edgar vanochtend niet gezien. Ik werd wakker met een hoofd vol donkere wolken, had moeite om helder te worden na een vrijwel slapeloze nacht. Ik denk dat ik pas tegen de ochtend in slaap ben gevallen. Toen ik eindelijk beneden kwam, was Edgar al op stap gegaan.

'Ik heb hem zelf amper gesproken,' zei moeder. Er was iets in haar stem wat ik niet goed kon plaatsen. Ze was niet boos op hem, maar ik denk dat ze verwacht had dat ze haar zoon helemaal voor zichzelf zou hebben als hij eenmaal thuis was.

'Waar is hij naartoe?' vroeg ik.

'Hij is gaan wandelen,' zei ze, alsof het een misdaad was.

'Hij wil vast een luchtje scheppen,' zei ik. 'U weet wel, even de stad in. Zodat hij zich weer thuis kan voelen.'

'Op een dag als vandaag?' vroeg moeder.

Ze keek uit het raam. Het was een sombere ochtend, de regen striemde met grote, grijze vlagen over de huizen in de richting van de zee en over het water zelf. Het was geen ochtend om aangenaam rond te kuieren.

Het werd tijd voor het middageten. Het was zondag en moeder had Kokkie gevraagd er een echte zondagse lunch van te maken. De laatste tijd moesten we op zulke uitspattingen bezuinigen en vandaag wilde ze een ouderwets uitgebreide lunch, maar Edgar was nog steeds niet terug.

Vader, moeder en ik gingen ten slotte maar zonder hem eten, maar bijna alles was al koud geworden.

'Dat was heerlijk,' zei vader, zonder erbij te glimlachen. 'Dank je, liefste.'

Pas tegen het avondeten kwam Edgar terug.

Er werd geen woord gezegd over waar hij geweest was of over zijn afwezigheid bij de lunch. We deden allemaal alsof onze neus bloedde en zetten ons aan een broodmaaltijd met kaas en koud vlees. Vader maakte een fles bier voor Edgar open en een voor zichzelf. Ik keek hoe de mooie donkerbruine vloeistof schuimde in de glazen, waarbij het zo'n leuk troostrijk geluid maakte. De klok aan de muur tikte heel langzaam.

'Nou,' zei vader, 'vertel eens wat je zoal hebt meegemaakt.'

Ik keek naar Edgar, die naar zijn bord zat te turen en het eten systematisch naar binnen schoof. Het was me duidelijk dat hij geen zin had waar dan ook over te praten.

Maar vader had geen moment door dat er iets mis was.

'Hoe gaat het eraan toe in jouw onderdeel? Veel actie? Ik neem aan dat jullie het de vijand behoorlijk lastig maken.'

'Er valt niet veel te vertellen,' zei Edgar en hij pakte nog een boterham. 'We doen ons werk, meer niet.'

'Maar je zult toch wel het een en ander meegemaakt hebben,' hield vader vol. 'Daar zijn we benieuwd naar.'

'Ja,' zei Edgar, 'we hebben wel het een en ander meegemaakt. Als u het niet erg vindt, ga ik nu maar eens naar bed.' Hij stond op.

Vader fronste zijn wenkbrauwen. 'Maar...'

'Henry,' onderbrak moeder hem. 'Hij is moe. Laat hem gaan slapen.'

Moeders moed verbaasde me, en ik keek strak naar vader om

te zien hoe hij zou reageren, maar hij zuchtte alleen en vertrok naar de salon om daar bij het vuur te lezen.

Ik bleef bij moeder terwijl Molly bedrijvig om ons heen scharrelde en de tafel afruimde. Toen dat klaar was, bleven we een poosje bij elkaar zitten.

'Waarom?' vroeg ik zacht aan moeder.

'Wat bedoel je, Sasha?' zei ze.

Ik voelde hoe moe ze was, kon de ziekelijke lusteloosheid in haar stem horen, maar ik wist van geen ophouden.

'Waarom gelooft u me niet? Waarom wil niemand me geloven?'

Ik wilde meteen dat ik het niet gezegd had.

Moeder liep om de tafel heen en sloeg haar armen om me heen.

'Laat nou toch, Sasha,' zei ze. 'Praat er alsjeblieft niet meer over. Toe.'

Ze drukte haar gezicht in mijn haar en begon te beven en opeens besefte ik dat ze huilde.

'Het spijt me,' zei ik. 'Het spijt me echt, ik wilde u niet van streek maken.'

Ze zweeg een tijdje, maar toen liet ze me los en veegde haar ogen af. Ze stond op het punt iets te zeggen toen we gestoord werden.

'Hebt u me vanavond nog nodig, mevrouw?' vroeg Molly vanuit de deuropening.

Moeder schudde haar hoofd.

'Nee, dank je, Molly. Alexandra zou net naar bed gaan. Wij gaan niet veel later.'

Ik probeerde moeders blik vast te houden, maar ze wilde me niet meer aankijken. Ik ging naar boven.

Het is altijd hetzelfde. Ik ben hun plichtsgetrouwe dochter.

Zo willen ze me zien. En als ik ook maar eventjes de indruk wek moeilijk of vreemd te zijn, accepteren ze dat domweg niet. Wat verlang ik ernaar iets te kunnen doen! Als dat niet mag, had ik beter als Clare kunnen zijn; dan was mijn leven voorbij geweest voor ik iets had kunnen doen waarmee ik anderen pijn deed.

Voor de verandering viel ik nu eens snel in slaap, maar ik werd met een schok wakker. Ik hoorde geluid uit Edgars kamer, het geluid van stemmen. Toen besefte ik dat het maar één stem was. Die van Edgar. Hij riep in zijn slaap. Hij schreeuwde.

Soms klonk het alsof hij namen riep, maar het meeste was niet te verstaan.

Toen begon hij te kermen, als een geslagen hond. Het ging lang door en brak toen abrupt af. Toen begon het weer, minder hard, en hield weer op.

Ik geloof dat hij nu rustiger slaapt, maar ik ben klaarwakker.

Wat heeft Edgar doorgemaakt dat hij die geluiden maakt in zijn slaap?

83

Edgar is naar Frankrijk terug, jammer genoeg voordat Thomas zelfs maar wist dat hij in het land was. Het is extra jammer omdat Kerstmis in aantocht is en met die dagen hoort een gezin bijeen te zijn.

Edgar is bovendien een dag te vroeg weggegaan. Hij zei in zijn telegram dat hij zes dagen verlof had, maar hij is woensdagochtend al vertrokken. Als ik eerlijk ben, moet ik bekennen dat het niet van een leien dakje is gegaan. Moeder zou woedend op me zijn als ze me zo hoorde, maar het is de waarheid. Edgar bracht de meeste tijd buitenshuis door, geen idee waar, alsof hij een dier was dat niet opgesloten wilde worden. En als hij thuis was, zei hij bijna geen stom woord. Moeder glimlachte krampachtig en liet Kokkie lekkere maaltjes voor hem maken. Vader voerde als enige het woord en had het maar over de oorlog en het leger terwijl Edgar in het vuur zat te staren, met zijn grote handen om een glas bier geklemd.

Ik deed niets, zat er wat bij en sloeg het allemaal gade, onder het mom dat ik juffrouw Garretts *Griekse mythen* las. Ik liet er uiterlijk niets van merken, maar vanbinnen voelde ik een verdriet dat zo hevig was dat het me leek te verlammen.

Het was vreemd dat Edgar zo snel weer wegging, alsof hij het idee had dat hij zich in Frankrijk meer op zijn gemak zou voelen dan hier bij ons. Ik vroeg me af waarom.

Toen het Edgars tijd werd om op te stappen, zei vader dat hij met hem mee zou lopen naar het station, maar hij verbood moeder en mij mee te gaan. Hij zei dat we maar van streek zouden raken. Ik kom vaak langs het station en ik heb honderden keren vrouwen afscheid zien nemen van hun man. Sommige waren kalm, maar bij de meeste vrouwen stroomden de tranen over hun gezicht. Vader zal wel gelijk hebben, we zouden van streek raken. Maar ik zie niet in wat daar zo erg aan is.

En zo brak het moment aan dat Edgar afscheid moest nemen, en ik had erg tegen dat moment opgezien, uit angst... ...uit angst dat ik iets zou voorvoelen.

Hij gaf moeder een kus en ze glimlachte naar hem, maar er stonden tranen in haar ogen.

Hij deed een stap in mijn richting. Ik bevroor. Toen, helemaal tegen zijn aard in, nam hij me in zijn armen en zoende me. Hij had dat in geen jaren meer gedaan, niet sinds ik een kind was. Zijn lijf in dat knappe uniform voelde verrassend sterk en gespierd aan. En al was hij vijf dagen thuis geweest en elke dag in bad gegaan, ik kon de geur van de oorlog nog aan hem ruiken.

Ik rook aarde en dingen waarvan ik de naam niet kende. Een zwakke, maar duidelijke geur van een chemische stof die in mijn neus prikte; een rokerige geur.

Ik was me van dat alles bewust, maar terwijl mijn hart weer rustiger ging kloppen besefte ik dat ik niets voelde dat op de dood wees.

Ik maakte me van Edgar los, opgelucht, lachend.

'Ik hoop dat je fijne kerstdagen zult hebben,' zei ik, en voor zowat de eerste keer sinds hij thuis was moest hij lachen.

'Hou je taai, Alexandra,' zei hij en toen vertrok hij.

82

Het is me eindelijk gelukt om weer naar het ziekenhuis te gaan. Vader liet me een paar dagen geleden bij zich komen. Het was al laat en het was aan hem te zien dat hij moe was, maar blijkbaar wilde hij per se hier en nu met me praten.

'Meen je het nog steeds serieus met de verpleging?' vroeg hij.

Ik schrok er even van, maar dit was niet het moment om vaag en onzeker te doen.

'Ja, vader,' zei ik. 'Ja. Ik wil echt heel graag de verpleging in.'

'Goed dan. Je mag aan de opleiding voor vad-verpleegster beginnen. Je weet toch wat dat is?'

Ik zei ja. Omdat ik zeventien ben, mag ik een aantal uren als vrijwillige verpleeghulp in een ziekenhuis werken, maar ik blijf gewoon thuis wonen.

'Je bent dan een van de allerjongsten. In mijn ziekenhuis zijn ook vrijwilligsters. Ik heb een plaats voor je geregeld en je begint volgende week. Maar je lessen mogen er niet onder lijden, begrepen?'

'Ik zal ervoor zorgen,' zei ik. 'Dank u wel!' Ik lachte van puur geluk.

'Stel me niet teleur, Alexandra, hoor je,' zei hij. Er was geen spoor van een glimlach op zijn gezicht.

'Nee,' zei ik. 'Dat beloof ik.'

'Dan kun je nu gaan,' zei hij, alsof ik nog een klein kind was.

Werktuigelijk draaide ik me om en wilde gaan, maar toen bleef ik staan. Ik moest nog iets weten.

Ik vroeg me af of hij de toestand met Simpson vergeten was of besloten had het verder te negeren. In ieder geval ben ik allang blij dat er na die drie recente gebeurtenissen waarbij ik de toekomst kon zien niets meer gebeurd is. Ik durf het nauwelijks te denken, maar misschien is het opgehouden. Drie keer is nog altijd scheepsrecht.

'Vader?' vroeg ik.

'Ja?'

'Hoe komt het dat u van gedachten bent veranderd? Dat ik toch in het ziekenhuis mag werken?'

'Dat gaat je niets aan,' zei hij.

'O nee?' zei ik. Ik nam een groot risico met mijn gedram, maar ik vond die draai zo eigenaardig dat ik er niet over op kon houden.

Hij keek me weer aan, maar ik kon niets aflezen van zijn gezicht; alsof hij een vreemde voor me was.

'Het kwam door je broer,' zei hij ten slotte.

'Thomas?' vroeg ik.

'Nee, Edgar.'

'Edgar?' stamelde ik, volkomen verrast.

'Toen we naar het station liepen, zei hij dat je een kans moest krijgen. Hij heeft me overtuigd. En dus geef ik je een kans.'

Ik glimlachte, met mijn hand losjes op de koperen deurknop van vaders studeerkamer.

'Dat is mooi, vader,' zei ik. 'Ik moet echt werk omhanden hebben.'

'Hij zei ook nog dat hij niet dacht dat je het aan zou kunnen.' Hij tuurde uit het raam.

De glimlach verdween van mijn gezicht en ik ging de kamer uit. Toen ik de deur achter me dichttrok, hoorde ik vader nog een laatste opmerking maken.

'Laat zien dat hij ongelijk heeft.'

81

Vanavond heb ik met Thomas aan de telefoon gepraat en moeder liet me bijna de volle drie minuten voor mezelf hebben. Vader heeft hem helemaal niet gesproken.

Ik vertelde Thomas van Edgars bezoek en wat hij voor me gedaan had.

'Geweldig,' zei hij, maar aan zijn stem was niet te horen dat hij blij was. Hij klonk een beetje aarzelend.

Het is moeilijk te zeggen wat iemand aan de andere kant van de lijn denkt, en ik kon ook niet aanvoelen wat Thomas ervan vond. Ik voelde alleen de afstand tussen ons.

Manchester is zo ver weg. Eigenlijk is het raar maar waar dat Tom in Manchester verder van ons weg is dan Edgar in Frankrijk. Maar Tom is niet zomaar ergens anders, hij is nu ook nog eens in een heel andere wereld.

80

Vandaag was mijn eerste dag als VAD-verpleegster. Ik mag geen hele dagen werken, maar het is een hele stap vooruit na mijn proeftijd van drie dagen aan het begin van de herfst.

Ik liep naar de wijk Seven Dials en sloeg daar Dyke Road in. Op de hoek van Old Shoreham Road stond het hospitaal me op te wachten. Het is een massief gebouw van rode baksteen, met een grote sculptuur op de zuilen bij de hoofdingang en op het dak een kleine koepel met een koperen dolfijn als windvaan.

Ik bleef even staan, bang, maar toen liepen twee lachende meisjes vlak langs me.

'Ben je verdwaald?' vroeg een van hen.

'Nee,' zei ik. 'Nou ja, een beetje. Het is mijn eerste dag hier.'

'Nou, een patiënt ben je zo te zien niet! Je moet je bij de receptie melden.'

Voor er een halfuur was verstreken stond ik in uniform bij het kantoor van de hoofdzuster te wachten tot ze me binnen-riep. Het uniform voelde vreemd aan en het prikte, maar ik was dolblij dat ik het droeg. Het is een lange, grijze jurk met lange mouwen. Eroverheen draag ik een wit schort met een fors rood kruis.

Zuster Maddox is niet aardig. Ze is een kleine, magere vrouw, van boven de vijftig denk ik, maar zeker weet ik het niet omdat ik mijn best doe haar niet recht aan te kijken. Ze leek al vijandig voordat ik zelfs maar mijn mond had opengedaan.

'Fox,' zei ze, 'al ben je duizend keer vrijwilligster en dan ook nog eens in deeltijd, in mijn hospitaal heb je je correct te gedragen. Je spreekt mij aan met zuster en mijn onderge-schikten met zuster die-en-die. Andere VAD-verpleegsters spreek je uitsluitend aan bij hun achternaam en zo dien jijzelf ook aangesproken te worden. Duidelijk?'

Ik knikte. Ik durfde niets te zeggen omdat mijn stem vast even angstig zou klinken als ik me voelde.

'We laten hier VAD-hulpen toe om de lasten van mijn ver-pleegsters te verlichten – degenen die echt als verpleegster zijn opgeleid. En jij bent hier alleen dankzij je vader. Ga je nu mel-den bij zaalzuster Goodall.'

Dat was mijn inwijding in de wereld van de verpleegkunde, maar ik was vastbesloten het niet te laten bederven door één ver-velende zuster. Later die dag hoorde ik van andere VAD-verpleeg-sters dat zuster Maddox een hekel heeft aan alle vrijwilligsters, omdat we ondanks ons gebrek aan opleiding toch gewild zijn. De soldaten noemen iedereen 'zuster', uit vriendelijkheid of beleefdheid, of misschien omdat ze niet beter weten, terwijl wij die titel niet waard zijn, en dat ergert haar nog veel meer.

'Vat het dus maar niet persoonlijk op,' zei een van de meisjes.

'Maar bij mij is het wel persoonlijk bedoeld,' zei ik.

'Oh, ja, vanwege je vader,' zei ze. 'Maar maak je geen zorgen, bijna iedereen hier mag hem graag. En ze hebben respect voor hem, omdat hij zulk moeilijk werk moet doen. Hij werkt met de neurastheniepatiënten.'

'De wat?' zei ik.

'Neurasthenie. De zenuwpatiënten die aan shellshock lijden.'

Ik zag dat haar mondhoek even trilde toen ze het woord uit-sprak. Zij ging weer verder met haar werk en ik met het mijne.

Het was een zware dag en toen ik 's avonds thuiskwam, kon ik wel huilen van vermoeidheid. Gelukkig moest vader tot laat doorwerken. Kennelijk merkte moeder dat ik het moeilijk had gehad. Ze vroeg nergens naar, verzocht Molly alleen mijn avondeten te halen. Toen ging ze zitten en begon te praten.

'Voor mij ook een eerste dag,' zei ze, maar ik begreep haar niet. Ik voelde me schuldig omdat ik kon zien dat moeder praten wilde, maar mijn hoofd was vol van de dag en ik had behoefte aan stilte.

'Hoe bedoelt u?' dwong ik mezelf te zeggen.

'Mijn eerste dag alleen. Vader op zijn werk. Edgar en Tom weg, en nu jij ook nog.'

'Moeder, ik...'

'Dat geeft niet, Sasha. Ik zeg het alleen maar. Meer niet.'

'Kokkie en Molly zijn er toch.'

Moeder zei met gedempte stem: 'Dat is iets heel anders.' En ze trok een gezicht.

Ondanks mezelf moest ik lachen. Ik wist wat ze bedoelde. Maar mijn gedachten worstelden zich nog door mijn dag in het hospitaal.

'Ik zal Molly je lievelingsmaaltje laten brengen. Ik heb haar een omelet laten maken.'

Op iedere andere dag zou ik dolblij zijn geweest, maar nu was ik domweg te moe.

Ik verontschuldigde me en liet moeder alleen achter in de eetkamer.

Ik ging naar boven om naar bed te gaan, en daar ben ik nu. Ik weet dat het egoïstisch van me is maar ik wil op dit moment aan niemand anders denken, zelfs niet aan Tom.

79

Ik heb nog veel te leren, maar na een stuk of zes diensten in het hospitaal ben ik niet meer zenuwachtig zodra ik die enorme voordeuren achter me dichtdoe. En ik voel me trots als ik in mijn uniform door Dyke Road loop.

Als ik andere vrouwen passeer op straat lachen ze naar me, en soms zeggen ze zelfs iets aardigs. Misschien hebben ze zoons die in de oorlog vechten; ik doe iets om te helpen. Dat betekent veel.

Vanochtend floot een postbode in de deuropening van een café me na. Moeder zou ontzet zijn geweest, maar ik moest erom lachen. Hij bedoelde het niet kwaad, en toen ik het hospitaal binnenkwam was ik in de juiste stemming om de confrontatie aan te gaan met Maddox, of wat er maar op mijn pad kwam. In die paar dagen hier heb ik al heel wat gruwelijks moeten zien.

Het ergst zijn de verminkte gezichten. Natuurlijk is het ook erg als je een been of arm moet missen. Ik word er al naar van als ik eraan denk, maar dan zie je tenminste nog steeds dat de patiënt een mens is. Door sommige verwondingen aan het gezicht ziet iemand er niet langer uit als een mens. Er ligt hier iemand die een gat heeft op de plaats waar zijn neus en mond horen te zijn. Hij zit natuurlijk in het verband, maar dan nog merk je dat er iets mis is. Er ontbreekt een bobbel waar zijn neus hoort te zitten. Zijn hoofd is één strakke, ronde bal verband, met een slangetje eraan waardoor hij gevoed wordt. Ik moet er niet aan denken hoe hij eruit zal zien als het verband eraf gaat. En hij heeft vast familie ergens, een vrouw of een broer. Zeker een moeder en vader, al is niemand hem nog komen opzoeken.

Ondanks zulke verschrikkingen geniet ik van mijn werk. Ik weet dat ik in vergelijking met de meeste verpleegsters een bevoorrechte achtergrond heb, maar ik doe mijn best om me aan te passen aan de groep. Eerlijk gezegd is dat niet moeilijk, want we moeten voortdurend zwaar werk doen en we zitten allemaal in hetzelfde schuitje. Het grootste verschil is iets wat vanbinnen zit. De andere verpleegsters zien de oorlog anders, zien de soldaten anders.

'Zulke dappere kerels!' zeggen ze bijvoorbeeld.

'Die arme stakkers.'

'We moeten ze snel op de been helpen, dan kunnen ze hen er weer van langs gaan geven!'

De Duitsers, bedoelen ze.

En ze jubelen maar over de moed van onze jongens. Het is niet dat ik hen niet moedig vind, het is gewoon dat ik niets anders voel dan verdriet wanneer ik een kapot lichaam zie. Geen trots, geen medelijden, schrik of haat. Ik vind dat valse gevoelens, waaronder we ons verdriet begraven vanwege de oorlog, vanwege ons land, of omdat we niet bang willen zijn.

Ik wilde maar dat het niet zo hoefde te zijn.

78

Toen ik gisteravond naar bed ging, zag ik *Griekse mythen* liggen, het boek dat juffrouw Garrett me heeft geleend toen ik bij haar thuis was. Schuldbewust bedacht ik dat ik het boek sindsdien amper heb aangeraakt, maar ik had het overdag te druk en 's avonds was ik te moe om aan lezen toe te komen.

Misschien is er ook nog een andere reden.

Eerst las ik elke avond gretig de verhalen. Ze zitten vol prachtige personages; helden en heldinnen. Er overkomt hun zo veel ellende dat je gemakkelijk met hen meeleeft. Ik merkte dat ik me afvroeg wie ik zou willen zijn als ik een rol speelde in de mythen. En na een paar avonden vond ik mijn antwoord.

Ik las een stukje, een paar regels maar, over een jong meisje uit Troje dat Cassandra heette. Een profetes die de toekomst voorspelt, maar niemand gelooft haar.

Opeens kreeg ik genoeg van al die verhalen over mensen die moorden, liefhebben en sterven. In de dagelijkse werkelijkheid gebeurt dat al meer dan genoeg. Ik wil de verhalen nu niet meer lezen, ook al vond ik ze in het begin nog zo troostrijk.

Vandaag kreeg ik een brief van Thomas, wat heerlijk was.

Ik stopte zijn brief in mijn zak, want ik wist dat het vader zou ergeren als ik hem aan de ontbijttafel las.

'Ben je vanmiddag in het hospitaal?' vroeg vader me. 'Dan

moet je thee bij me komen drinken. Om vier uur.'

'Goed,' zei ik verwonderd.

Dus trok ik mijn uniform aan toen ik van juffrouw Garrett terugkwam en ging op weg naar het hospitaal.

Ik merkte wel dat zuster Maddox het niet leuk vond toen ik me meldde en zei dat ik bij mijn vader moest komen, maar ze kon er weinig tegen beginnen. Hij is tenslotte de dokter, en zij een zuster. Zo gaat dat hier.

Toen we bij vaders kantoor op de eerste verdieping kwamen, was hij er niet.

'Tja, blijf hier dan maar wachten,' zei ze. 'Je bent zijn dochter, dus dat zal hij wel goed vinden.'

Ik keek om me heen. Ik vroeg me af waarom ik nooit eerder in zijn kantoor was geweest, maar er is nu eenmaal veel dat ik niet weet van mijn vader. Thuis praat hij zelden over zijn werk.

Het wachten begon me al snel te vervelen en ik liep naar het raam, dat weids uitziet over de stad met daarachter de zee. Het was alsof ik weer iets aan me voelde trekken. Vanuit Frankrijk, over de zee. Deze keer was het gevoel sterker.

Ik werd bang. Ik wilde niet dat vader me zo zag.

Ik ging aan zijn bureau zitten en bladerde door de paperassen, tot ik besefte wat ik aan het doen was en ermee ophield.

Er lag een boek omgekeerd op zijn bureau. *Het dualisme van de geest* van Arthur Wigan. Het zag er heel oud uit. Het lag naast een stapel documenten waarvan het bovenste van veel recentere datum was, uit 1908, *Herinnering van het heden en onjuiste herkenning* van ene Bergson. Ik vond het een onbegrijpelijke titel, maar dat leidde me tenminste af van het raam.

'Alexandra.'

Vader stond bij de deur.

Ik sprong op.

'Het spijt me dat ik verlaat ben. Soms kan ik me moeilijk van mijn werk losweken.' Hij had iets verstrooids, maar hij kwam naar het bureau en ging op de stoel zitten die ik zojuist verlaten had. 'De thee komt eraan...'

'Liep u uw ronde?' vroeg ik.

'Nee,' zei hij. 'Zo werk ik hier niet. Ik hou me bezig met... bijzondere gevallen.'

Ik knikte en glimlachte erbij, in een poging te laten merken dat ik wist wat hij bedoelde.

Hij ging er niet op door. 'Waar blijft dat stomme mens toch?' zei hij, met een blik naar de deuropening. Er was geen thee te bekennen.

'Wat voor werk doet u precies?' vroeg ik. Hij moet gezien hebben dat ik naar de papieren op zijn bureau keek.

'Ik doe onderzoek,' zei hij. 'Het is niet eenvoudig uit te leggen, maar ik werk samen met een groep artsen hier. Veel soldaten raken gewond in deze oorlog – zwaargewond. Maar dat betekent niet altijd dat ze lichamelijk letsel hebben. Begrijp je dat?'

'Ik geloof van wel. Wordt het daarom shellshock genoemd?'

'Shellshock. Oorlogsneurose,' zei hij bijna spottend. 'Ja, zo noemen mensen het. Mijn team en ik doen daar onderzoek naar. Mijn collega's zijn van mening dat zulke patiënten even zwaargewond zijn als de mannen op de zaal waar jij werkt.'

'Maar daar bent u het niet mee eens?' vroeg ik.

'Nee, helemaal niet.' Hij zweeg even. 'Ik twijfel er niet aan dat er ernstig zenuwzieke gevallen bij zijn, maar voor de meerderheid geldt dat niet. Degenen die nu zijn ingestort hadden waarschijnlijk al zenuwklachten voor ze de oorlog in gingen. En ons land heeft iedere gezonde kerel nodig om zijn plicht te doen. Om te vechten. We gaan kapot aan simulanten die zich daaraan onttrekken. Waar blijft die thee toch?' zei hij weer. Toen draaide hij zich weer naar me om. 'Kijk jou nou toch eens. Mijn dochter is verpleegster!'

Ik glimlachte.

'Hoe vind je het? Weet je zeker dat dit is wat je doen wilt?'

'Ja,' zei ik. 'Dat weet ik zeker. Maar ik moet nu maar gaan. Zuster Maddox...'

Hij lachte, maar zonder enig plezier.

'Ja, dat begrijp ik. Je zult wel gelijk hebben. Ga maar gauw. Jammer van de thee, maar als Maddox het je ook maar eventjes lastig maakt, moet je het me zeggen.'

'Ja, vader,' zei ik en ik ging terug naar de ziekenzalen beneden.

77

Ik was aan het werk. Ik voelde me gelukkig. Het was bijna alsof ik de toekomstvoorspellingen gedroomd had en niet echt meegemaakt. En de herinnering aan een nachtmerrie is veel minder angstaanjagend dan de nachtmerrie zelf.

Maar gisteren kwam de nachtmerrie terug.

Ik was op zaal een bed aan het opmaken. Zonder enige waarschuwing werd alles onwerkelijk. Ik voelde me overal buiten staan, zoals die keer tijdens de les bij juffrouw Garrett. Mijn lichaam leek een leeg omhulsel.

Ik draaide langzaam mijn hoofd om en intussen richtte ik me op. Het leek of die simpele bewegingen eeuwenlang duurden.

Ik besefte dat ik me expres had omgedraaid om naar een patiënt aan de andere kant van de zaal te kijken. Hij was met een verpleegster aan het praten. Ik kende hem. Hij had granaatsplinters in zijn achterhoofd en schouders.

'Nog even en je bent hier weg,' zei de verpleegster. 'Kun je weer terug naar je vrienden.'

'Kunt u me niet wat langer houden?' grapte hij. 'Het eten is zo lekker en de zusters zijn zo mooi!'

Ze lachte. 'Al zou ik het nog zo graag willen!' zei ze. 'We hebben je bed voor een ander nodig, hè?'

Opeens verliep alles heel traag. Hij sprak op normale snelheid verder, maar voor mij kwamen zijn woorden heel, heel langzaam uit zijn mond.

'Allicht,' zei hij. 'Ik zal niet lastig doen. U mag het bed terughebben!'

Ik hoorde die woorden, maar ik hoorde nog meer. Het is onmogelijk om dit goed uit te leggen, maar ik kan alleen zeggen dat ik hem ongesproken woorden hoorde uitspreken.

'En trouwens, morgenochtend ben ik toch al dood.'

Ik hoorde het heel duidelijk vanaf de andere kant van de zaal. De verpleegster bleef hem plagen, hij grapte terug en alles leek heel gewoon.

Ik raakte in paniek.

'En trouwens, morgenochtend ben ik toch al dood.'

Ik holde de zaal af.

Ik geloof niet dat iemand me zag gaan, maar toen ik bij de deuren kwam zag ik zuster Maddox de gang in komen en mijn richting uit lopen.

Zonder erbij na te denken dook ik weg achter de dichtstbijzijnde deur. Toen ik hem achter me sloot, merkte ik dat ik in de duisternis van een linnenkamer was. Zo'n ruimte was er bij alle zalen, vol schone lakens en ander beddengoed.

Ik ging in het donker op mijn hurken zitten en vroeg me af of Maddox me gezien had, maar ik hoorde buiten voetstappen langsgaan en de deur bleef dicht.

Mijn hoofd tolde. Het gevoel van vervreemding was verdwenen, ik was weer terug in mijn lichaam. Ik merkte het aan de manier waarop mijn hart tekeerging in mijn borstkas. Heel lang leunde ik rillend tegen een stapel dekens, probeerde de woorden te verdrijven die de man niet uitgesproken had.

Het haalde niets uit. Ze draaiden maar door mijn hersens, al sloeg ik nog zo hard met mijn vuisten tegen mijn oren en schudde ik nog zo vaak met mijn hoofd.

Toen meende ik iets te horen.

Een geluid vlakbij, in de linnenkamer.

Ik stond op, tastte naar de plek waar het lichtknopje moest zijn en deed het peertje aan het plafond aan.

'Doe uit,' zei een stem.

Hij kwam van achter in het vertrek, voorbij de planken vol lakens in het midden.

Ik bevroor, was te bang om iets te doen.

'Doe uit,' zei de stem weer, klaaglijk. 'Het licht doet pijn aan mijn ogen.'

Ik gehoorzaamde en knipte de lamp uit. Toen drong het tot me door hoe onbezonnen het was om het licht uit te doen in een kleine opslagruimte waar een onbekende man bij me was. Want de stem was die van een man, al klonk hij dunnetjes en zwak.

'Wie is daar?' vroeg ik. Er kwam geen antwoord. 'Ik ben niet bang,' zei ik. Het was een stompzinnige opmerking, maar iets beters kon ik niet bedenken.

'Wie ben je?' vroeg ik. 'Ik ben niet bang.'

'Ik wel,' zei de man. 'Ik wel.'

76

Zonder het te kunnen weten had ik waarschijnlijk het enige gezegd dat hem aan het praten bracht.

'Waar ben je bang voor?' vroeg ik.

'Voor alles,' zei hij, maar met zo'n passie dat die twee woorden me deden huiveren.

Ik wist me geen raad. Ik wilde vluchten, maar ik had toch altijd verpleegster willen worden? Als ik wegliep nu ik de kans kreeg iemand te helpen, zou ik een mislukkeling zijn.

'Mag het licht echt niet aan?' vroeg ik.

'Nee!' zei hij. 'Het doet pijn aan mijn ogen. Het is beter als het donker is.'

Hij was duidelijk een patiënt.

'Hoe komt dat?' vroeg ik, maar daar kwam geen reactie op. Ik peinsde wat ik moest zeggen. Eindelijk kwam er iets voor de hand liggends bij me op.

'Hoe heet je?'

Hij antwoordde zo zacht dat ik hem niet kon verstaan.

'Wat zeg je?'

'Evans,' zei hij. Hij zweeg even. 'David Evans.'

Ik wist op dat moment dat hij soldaat was, omdat hij eerst zijn achternaam gaf. De naam klonk me bekend in de oren, maar ik kon hem niet plaatsen.

'Waarom ben je hier, David?' vroeg ik.

'Ik kom hier,' zei hij, 'om weg te zijn bij het licht, bij de mensen. Bij die man.'

Nu hoorde ik aan zijn accent dat hij uit Wales kwam.

'Niemand weet het,' zei hij. 'En als ze het merken kan het ze niet schelen, omdat ze het te druk hebben. Zolang ik voor bedtijd maar terug ben.'

'Waarom kun je niet tegen licht?' vroeg ik weer. Ik begon weer van voren af aan, maar ik wist geen andere vragen te bedenken.

'Het doet pijn. Mijn ogen doen pijn. Steeds maar die flitsen in het donker. Dat doet pijn aan mijn ogen. En nu ben ik hier en toch willen ze steeds maar met licht in mijn ogen schijnen, begrijp je? Dat doet pijn en daarom ga ik hierheen.'

'Wie schijnt met licht in je ogen?' vroeg ik.

'Die man,' zei hij. 'Die dokter. Hij zegt dat hij mijn ogen wil onderzoeken, maar het doet pijn, zo'n pijn.'

Mijn hart sloeg over bij het besef dat hij het misschien wel over vader had. Toen wist ik opeens waarom zijn naam me bekend voorkwam.

Evans. Hij was de patiënt met shellshock die ik op mijn eerste dag met zuster Cave had gezien. Hij was een van de soldaten waar mijn vader zijn proeven mee uitvoerde.

'Ze schijnen ermee in mijn ogen,' zei hij. 'En ze maken dingen aan mijn hoofd vast.'

'Wat voor dingen?'

'Snoeren,' zei hij met zwakke stem. 'Ze maken snoeren aan mijn hoofd vast en laten er stroom doorheen gaan.'

Dat zei hij precies zo. Stroom.

'Waarom?' vroeg ik, al wist ik dat ik het aan de verkeerde vroeg.

'Om me beter te maken, zeggen ze, maar het doet pijn, en alles wordt er zo raar door.'

'Raar? Hoe bedoel je?'

Ik hoorde geluiden buiten in de gang. Stemmen die riepen en voetstappen. Mensen die renden. Maar ze gingen de deur van de linnenkamer voorbij.

'Wat bedoel je?' vroeg ik weer.

Het bleef lang stil. Ik besloot dichter naar Evans toe te gaan, al kon ik hem in de duisternis niet zien. Bovendien kreeg ik kramp in mijn benen. Ik rekte me uit en bewoog me voorzichtig om de stapels dekens heen.

'Wat doe je?' vroeg Evans.

'Ik kom wat dichterbij,' zei ik. 'Ik kan je niet goed verstaan. Vertel me wat er gebeurt. Als ze de snoeren aan je hoofd vastmaken.'

'Het doet pijn,' zei hij, 'en dan gaat er iets vreemds gebeuren. Ik heb het gevoel dat het allemaal al eerder is gebeurd.'

'Wat? Dat wat eerder is gebeurd?'

'Alles. De kamer, die mensen, de snoeren, de pijn. Alsof het allemaal al eerder is gebeurd en ik het weer door moet maken. Het weer opnieuw beleven. Kun je dat begrijpen?'

'Ja,' zei ik. 'Ik geloof van wel.'

Opeens was er buiten nog meer rumoer, dat uit de richting van de zaal kwam.

Ik voelde me verscheurd, maar ik had nu eenmaal dienst op zaal. Ik moest gaan kijken wat er aan de hand was.

'Blijf hier, David,' zei ik tegen hem. 'Niet weggaan.'

Ik deed de deur open en glipte naar buiten. De zaal was in rep en roer. Jonge artsen haastten zich langs me heen de zaal in en renden naar een van de bedden.

Met een schok besefte ik dat het het bed was van de man met de granaatwonden.

Natuurlijk was hij het. Ik herinner me dat ik heel duidelijk dacht: natuurlijk is hij het. Ik was kwaad op mezelf omdat ik me zelfs maar had afgevraagd met wie er iets mis zou zijn. Ik had niet aan mezelf mogen twijfelen. Hij had toch zo gezegd dat hij de volgende ochtend al dood zou zijn.

Verpleegsters dromden om het bed, maar toen de dokters zich tussen hen door wrongen zag ik dat zich van het bloed dat uit het bed druppelde al een grote plas op de grond had gevormd.

Hij was al dood.

Ik was me bewust van de mensen om me heen.

'Oh, daar ben je!' zei een stem.

Ik draaide me met een ruk om, maar de stem was niet voor mij bedoeld.

Evans stond in de deuropening van de linnenkamer. Een broeder, die net als ik de gebeurtenissen op zaal had gadegeslagen, had hem opgemerkt.

'Kom maar met mij mee,' zei hij en hij voerde Evans weg. Ik kon nu zien dat hij een lange, sterke jongeman was, in ieder geval lichamelijk. Hij keek smekend om naar mij, alsof het mijn schuld was dat hij werd afgevoerd.

'Ver heen, die daar,' zei een verpleegster naast me. 'Shellshock. Heeft geen zinnig woord gezegd sinds hij hier is.'

Ik moet verbaasd hebben gekeken.

'Ik meen het,' zei ze. 'Slaat alleen wartaal uit. Er is geen normaal woord bij.'

Maar dat kan van geen kanten kloppen. Want al was Evans een bange, gekwetste en verlegen man, ik had elk woord dat hij zei begrepen.

75

Mijn afwezigheid op zaal terwijl ik dienst had is ongestraft gebleven. In de verwarring is het niemand opgevallen dat ik er niet was. Ik had niets kunnen doen om te helpen. Echt niet. Ik wist wel dat het ging gebeuren, maar ik had het niet kunnen tegenhouden.

Ik wist niet wanneer hij dood zou gaan, of hoe. Alleen dat het ging gebeuren.

Nu voel ik me verraden.

Verraden door mijn eigen gevoelens.

Mijn voorgevoelens, die steeds duidelijker en stelliger worden en zich niet laten negeren.

Ik had al heel lang geen sterfgeval meer voorvoeld, maar er was dan ook niemand op zaal gestorven sinds ik hier ben. Tot gisteren, de man met de granaatwonden.

Vreemd is dat niet.

De meeste mannen gaan levend weg, al ligt dat niet altijd aan onze zorg. Natuurlijk is het hospitaal goed en doen we onze best om de patiënten alle hulp te verlenen die ze nodig hebben, maar dat bedoel ik niet. Een dokter vertelde me laatst dat de kern van de zaak heel anders is. Hij was al ouder en ik vond hem niet zo aardig. Ik geloof dat hij me bang wilde maken. Maar wat hij zei was op een akelige manier heel waar.

Hij zegt dat een soldaat die aan het front gewond raakt en het klaarspeelt de terugtocht van het slagveld, de reis naar een eerstehulppost en de zeereis terug naar huis te overleven, waarschijnlijk sowieso zijn verwondingen wel overleeft. Zwaargewonden bezwijken al als ze nog geen tien kilometer bij het front vandaan zijn.

We zien dan ook weinig sterfgevallen en daar ben ik blij om. Maar daardoor ga je ook denken dat de dingen misschien niet zo erg zijn als ze in werkelijkheid zijn.

Gisteren had ik mijn duidelijkste voorgevoel tot nu toe. Ik hoorde een man die niets zei tegen me zeggen dat hij dood zou gaan, en even later was hij inderdaad dood.

Het lijkt zo onlogisch. Het is zo moeilijk te geloven en als ik het niet zelf ervaren had zou ik het evenmin geloven. Waarom zie ik alleen de dood aankomen en geen mooie dingen? Waarom zie ik niet de dood van iedereen? Waarom krijg ik niet van mensen die ik op straat tegenkom een visioen van hun einde?

Een gedachte overvalt me. Stel dat ik iets zie van iemand van wie ik hou, van iemand uit ons gezin? Stel dat ik iets zie over mezelf?

En wat houdt het in als ik werkelijk de toekomst kan zien? Heeft ons leven nog zin als je weet wat je te wachten staat, als je alleen maar wacht tot het plaatsvindt?

Als dat zo was zou het leven echt een monsterlijke gruwel zijn, zonder een kans aan je lot, je noodlot, te ontsnappen.

Het zou lijken op het herlezen van een boek dat je goed kent, een boek dat je van achteren naar voren leest, te beginnen bij het laatste hoofdstuk en teruglezend naar het eerste, terwijl je allang weet hoe het eindigt.

74

De brief van Tom.

Ik dacht er pas gisteravond weer aan, toen ik in bed over de gebeurtenissen nadacht. Ik was laat thuisgekomen en moeder maakte veel drukte.

'Gaat het wel goed met je?' vroeg ze. 'In het hospitaal?'

Ik dwong mezelf te glimlachen.

'Ja hoor,' zei ik.

Vader was nog niet thuis, zodat ze niet geweten kon hebben wat er op zaal was gebeurd. Bovendien zou hij het niet eens verteld hebben. Waarom zou hij over een stervende patiënt praten? Alleen voor mij had het een verschrikkelijke betekenis gehad.

'Ja, echt? Sasha?'

Nee. Het ging helemaal niet goed met me. Het liefst had ik tegen haar geschreeuwd en haar met geweld door elkaar gerammeld om haar ervan te doordringen dat ze móést geloven wat me overkwam. Alleen dan zou ze me kunnen helpen. Ik staarde in het vuur, worstelde met mijn gevoelens, probeerde te bedenken wat ik zeggen kon. Maar ik wist het al.

'Ja, moeder,' zei ik. 'Het gaat goed.'

Ik glimlachte er zelfs bij toen ik opstond om naar bed te gaan, en zij glimlachte terug.

'Fijn zo, schat. Slaap lekker.'

Ze weet dat het niet goed met me gaat, maar ik wil er niet meer met haar over praten. Ze heeft me bij mijn vorige pogingen ook niet geloofd. Ik vraag me af wanneer ze haar verlangen naar een zelfstandig leven heeft verloren. Ik weet dat ze om me geeft, van me houdt. Maar niet genoeg om tegen vader in te gaan. Niet genoeg om mijn kant te kiezen wanneer het er echt toe doet.

Ikzelf zal het nooit zo ver laten komen, zal nooit mijn karakter laten vermorzelen zoals ik het bij haar heb zien gebeuren...

En toch zou ik het heerlijk vinden als ze alles weer voor me zou gladstrijken, alsof ik nog steeds haar kleine meisje ben. Was ik nog maar een kind, een onschuldig kind, dat niet wist wat ik nu weet.

Toen zag ik Toms brief uit de zak van mijn jurk steken en besefte dat ik hem helemaal was vergeten.

Het is een lange brief, over zijn leven als student geneeskunde. Hij schrijft dat het leven in Manchester al even sterk beïnvloed wordt door het gevoel in oorlog te zijn; de mensen zijn er precies hetzelfde onder als bij ons. Wanneer hij geen colleges volgt blijft hij binnen, op zijn kamer, omdat hij te vaak in ruzies verzeild is geraakt over het feit dat hij niet wil gaan vechten.

Hij denkt dat de kans klein is dat hij zijn studie kan afmaken, want iedereen op de universiteit meent dat de dienstplicht eraan komt. Hij heeft al moeten berusten in de meldingsplicht.

Er is een nieuw systeem in het leven geroepen. Hebben jullie erover gelezen? Er wordt geprobeerd alle mannen over te halen te zeggen dat ze bereid zijn te vechten als ze worden opgeroepen, maar tegelijk wordt beweerd dat een getrouwde man pas

onder de wapenen moet als er geen ongetrouwde mannen meer
over zijn. Veel getrouwde mannen melden zich, zodat het lijkt
alsof ze hun aandeel willen leveren, maar intussen denken ze
dat het er toch niet van zal komen. En als puntje bij paaltje
komt en ze zijn nodig, krijgen ze natuurlijk geen steun van de
vrienden en familie van de arme vrijgezellen die al in Frank-
rijk sneuvelen. Het is een handige, maar ook erg oneerlijke
krijgslist van de regering.

Dat schrijft Tom in zijn brief. Hij klinkt erg politiek bewust,
maar ik begrijp er niet alles van. Als vader deze brief zou lezen,
zou hij volgens mij Tom niet eens meer in huis toelaten.

Hoe kunnen de mensen van wie ik hou er zulke totaal verschillende meningen op na houden? Maar er zijn ook zo veel
tegenstrijdigheden. Ik hou van vader, maar ik vind dat de
manier waarop hij aan het hoofd van het gezin staat ouderwets
en wreed is. En hoe hij moeder behandelt. Als hij zijn zin
kreeg, zou ik al getrouwd zijn met de een of andere rijke idioot
en nooit kunnen doen wat ik zelf wil. Maar toch hou ik van
hem, en moeder ook, denk ik. En Tom en vader mogen dan
heel andere opvattingen hebben, ze willen allebei mensen helpen. En ik, ik voel me zo alleen, maar ook ik wil mensen helpen.

Er is trouwens iemand die ik op dit moment heel graag wil
helpen, en die mij misschien ook wel kan helpen.

73

Het was niet moeilijk om Evans te vinden, al lijkt zijn bed de laatste plaats waar hij vaak is. Eigenlijk ben ik daar wel blij om ook, want de afdeling van patiënten als hij is niet bepaald een gezellig oord. De zaal ligt op de bovenste verdieping van het ziekenhuis en zelfs op de verdieping eronder kun je het gejammer en geschreeuw van de mannen horen.

Je kunt een wond verbinden, er jodium op doen, morfine geven tegen de pijn, een door gangreen aangetast been amputeren. Maar wat kun je doen voor de geest, als die beschadigd is? Ik weet niet goed wat vader en zijn collega's doen, maar ik bewonder hen alleen al om hun poging hulp te bieden. Ik zou zelf niet weten waar ik moest beginnen.

Maar ik wist wel heel goed waar ik Evans kon vinden. Blijkbaar mag hij overal in het ziekenhuis komen. Hij is minder lastig dan de meeste patiënten van zijn afdeling: sommige zijn gewelddadig en lawaaierig; of hun lakens moeten vaak verschoond worden; of ze moeten gevoerd worden. Evans is meegaand en daarom nemen ze zelden de moeite hem te gaan zoeken. Hij komt vanzelf wel terug als het donker is op de afdeling. En op andere afdelingen van het hospitaal heeft iedereen de handen vol aan eigen patiënten.

Ik wist niet in welke linnenkamer hij zat, maar het was niet die waar ik hem had ontmoet. Ik greep mijn kans toen het rustig was om de andere afdelingen uit te kammen. Als iemand me ernaar vroeg, zou ik zeggen dat ik extra dekens moest halen. Zodra ik mijn hoofd om de deur stak van de vierde linnenkamer die ik probeerde, wist ik dat hij er was. Ik ging naar binnen en trok de deur achter me dicht.

'Ik zal het licht niet aandoen,' zei ik.

'Wie is daar?' klonk zijn stem.

'Alexandra. We hebben elkaar laatst gesproken. Weet je nog?'

Er kwam geen antwoord.

'Ja,' zei hij uiteindelijk, met toonloze stem.

'Je hoeft nergens bang...'

'Wat is er met hem gebeurd?' onderbrak hij me. 'Is hij dood?'

'Ja,' zei ik en ik probeerde zo kalm mogelijk te klinken. 'Een wond waarvan ze niet wisten. Een longbreuk.'

We zwegen een poos. Ik vroeg me af hoe lang ik weg kon blijven voor ik gemist werd.

'Mag ik dichterbij komen?' vroeg ik.

Ik was ongerust. Ik was bang, maar niet voor hem. Hij zou me heus geen kwaad doen. Nee, ik was bang voor mezelf, voor wat ik zou voorvoelen bij hem, want al klinkt het dom, ik heb met Evans te doen en ik wil dat het goed met hem komt. Ik vind hem aardig.

Ik bewoog me in het donker, ging op de tast dichter naar hem toe.

'Mag ik iets vragen?' zei ik. Mijn knie raakte de zijne en ik deed een stap terug. 'Het gaat over wat je me vertelde, over de stroom die ze je toedienen.'

'Oh,' zei hij, op zo'n ongelukkige toon dat ik ter plekke wilde huilen.

'Wat doet dat met je? Wil je het me nog eens vertellen?'

Er viel een stilte.

'Nee,' zei hij.

Toen ging de deur open en het licht werd aangedaan.

In een poging weg te krabbelen liep Evans een stapel dekens omver.

'Wie is daar?' Er kwam een zuster in zicht en ze schrok toen ze ons zag. 'Wat moet dit in vredesnaam...?' begon ze.

Ik herkende haar als het meisje dat me op mijn eerste dag had rondgeleid.

'Ik was alleen maar Evans aan het zoeken...' zei ik. 'Ik wilde...'

'Ik wil niet weten wat jij hier aan het doen bent. Met hem,' zei ze. Evans probeerde bij de deur te komen, maar ze versperde de weg. Hij bleef staan wachten, knipperde tegen het licht.

'Nee,' zei ik. 'Ik was hem alleen maar aan het zoeken.'

De verpleegster hield haar hoofd schuin.

'Noem je dat zo? Nou, je hebt hem gevonden. Goeie genade.' Ze draaide zich om naar Evans. 'Ga terug naar je afdeling en blijf daar nou eens een keer.'

Zonder een woord sloop hij weg.

'En jij...' zei ze en ze wendde zich weer tot mij. 'Als de hoofdzuster je hier zou vinden met een man, zou je meteen op straat staan en nooit meer terug mogen komen. Wat bezielde je in vredesnaam?'

'Geloof me alsjeblieft,' zei ik. 'Ik wilde alleen maar met hem praten. Meer niet. Over wat ze met hem doen.'

Ze zuchtte.

'Ik zou het van niemand anders in dit ziekenhuis geloven. Maar jij... ik denk dat je niet eens doorhebt waarom het zo fout is wat je doet.'

'Ik wil alleen maar weten wat ze met hem doen. Hij zegt dat het pijn doet.'

Nu keek ze verwonderd. 'Wat hij zegt is nooit te begrijpen.'

'Ik begrijp hem wel,' zei ik. 'Hij zegt dat hij, als ze de snoeren aan zijn hoofd vastmaken, dingen ziet alsof ze al gebeurd zijn.'

'Wát zegt hij?' Haar stem klonk nu vriendelijker.

'Ja,' zei ik en ik voelde me aangemoedigd. 'Waarom zou dat zo zijn? Wat willen ze van hem?'

'Ze willen hem beter maken,' zei ze.

'Maar het doet hem pijn. Waarom moet het zo?'

'Het is jouw vader, waarom vraag je het niet aan hem?'

'Toe nou,' zei ik. 'Je begrijpt het niet. Ik moet het weten. Er zijn me dingen overkomen, die ik...'

'Wat voor dingen?' vroeg ze.

Ik aarzelde, maar ik moest wel.

'Ik zie dingen,' zei ik. 'Ik zie dingen voordat ze gebeuren.'

Ze deed een stap achteruit en knipte zonder waarschuwing het licht uit.

'Je kunt je maar beter met je werk bezighouden,' zei ze scherp, kortaf. 'Vind je ook niet?'

72

Toen ik thuiskwam was het huis in rep en roer. Ik hoorde moeder in de keuken, waar ze met hoge, harde stem bijna aan het jammeren was tegen vader.

Ze zwegen zodra ik binnenkwam.

'Is er iets mis?' vroeg ik.

Moeder stoof langs me heen, met haar hand voor haar mond.

Ik zag een brief op tafel liggen.

'Wat is er?' zei ik en ik draaide me om naar vader.

Hij maakte een machteloos gebaar met zijn hand.

'Edgar is gewond geraakt. Maak je geen zorgen,' voegde hij er snel aan toe. 'Het gaat goed met hem.'

'Vader?'

'Ja, het gaat goed met hem. Anders had hij ons toch niet kunnen schrijven?'

'Wat is er gebeurd?' vroeg ik.

'Dat weet ik niet zo precies,' zei hij hoofdschuddend. 'Maar het is niet meer dan een schram. Half november heeft hij een paar dagen in Boulogne in het ziekenhuis gelegen. Nu is hij weer bij zijn bataljon terug. Fit als een hoentje!'

'Maar wat is er dan gebeurd?'

'Zo is het wel genoeg, Alexandra! Besef je dan niet dat je je moeder overstuur maakt met al die vragen van je?'

Dat was oneerlijk. Moeder was al overstuur toen ik thuis

kwam en bovendien was ze niet meer in de keuken. Maar ik wist dat ik niet verder moest doorvragen als vader in zo'n stemming was.

Ik keek naar de brief. Edgars brief uit Frankrijk, die op de keukentafel lag. Ik wilde hem lezen, maar vader pakte hem op en ging de keuken uit.

Ik ging achter hem aan, zag hem in zijn studeerkamer verdwijnen en ik liep door naar de trap, waar ik net lang genoeg bleef staan om te zien dat hij de brief in de la van zijn bureau opborg. Toen ging ik Molly zoeken en vroeg haar me iets te eten te brengen op mijn kamer. Ik ging naar boven, naar bed.

71

Molly bracht me soep en brood. Ik at langzaam, bedachtzaam, terwijl ik de gebeurtenissen op een rijtje zette.

Mijn blik viel op het boek van juffrouw Garrett. Ik had er niet meer naar omgekeken. Ik pakte het op en bladerde erin. Cassandra. Haar naam sprong me van de ene bladzijde na de andere tegemoet. Dochter van koning Priamus van Troje. Apollo schonk haar de gave de toekomst te kunnen voorspellen, maar toen ze weigerde om als wederdienst met hem te slapen, sprak hij een banvloek uit waardoor niemand haar ooit zou geloven. Aan het einde van haar leven voorspelde ze de ondergang van Troje, maar nog steeds werd ze niet geloofd. Ze werd gevangengenomen door Agamemnon en als oorlogsbuit meegevoerd naar Argos, waar ze vermoord werd door Agamemnons jaloerse vrouw Clytemnestra.

Misschien werd ze wel gek van het wachten op iemand die haar eindelijk zou geloven, die aandacht aan haar besteedde en haar liet helpen.

En staarde ze uit over zee, zoals ik? Misschien wel, bang voor de strijd die van over het water zou komen. Voelde ze zich alleen, zoals ik? Keek ze misschien ook naar haar weerspiegeling en probeerde ze eruit op te maken waarom ze zo anders was, probeerde ze haar gave te begrijpen, zoals ik?

Een gave, of een vloek? Ik wist maar al te goed wat het voor mij was. Het boek trilde in mijn hand. Ik deed het dicht zodat mijn tranen er geen vlekken op konden maken, want ik had beloofd er zuinig op te zijn.

Toen moeder en vader naar bed waren gegaan, ging ik terug naar de studeerkamer beneden. Op vaders bureau stond een leeslamp met een groene kap. Ik deed de lamp aan en begon de kleine laden achter in het bureau open te trekken.

Het kostte me geen moeite Edgars brief te vinden, ik kon hem al ruiken voor ik hem zag. Een geur van koude lucht, van vocht, van aarde en rook. De brief was nog maar een paar weken oud en wekte toch al de indruk dat Edgar meer had meegemaakt dan de meesten van ons in hun hele leven.

De brief ligt nu voor me.

Bovenaan staat, in Edgars handschrift: *No. 14 Militair hospitaal, Boulogne. 13 november.*

De brief heeft er drie weken over gedaan om hier te komen. Hij is maar kort. Ik denk dat Edgar uitgeput was toen hij in het ziekenhuis lag, niet in staat om veel te schrijven.

Lieve familie,
Het gaat goed met me, maar ik moet erbij melden dat ik door klein letsel in het hospitaal terecht ben gekomen. Maakt u zich maar geen zorgen, het is niets ernstigs. Toen er een granaat ontplofte bij onze loopgraaf heb ik een stukje scherf in mijn borstkas gekregen. Binnenkort ga ik weer terug naar het front.
Met mijn beste wensen,
Jullie Edgar

Ik had gedacht dat ik iets aan de brief zou kunnen voelen, iets zien terwijl ik hem vasthield, maar er gebeurde niets. En ik had

ook geen notie gehad van Edgars letsel, al was het weken geleden gebeurd. Ik had niets vermoed. Die vloek van mij is nog
onbetrouwbaar ook als hij zo grillig komt en gaat. Dan heeft hij
ook eigenlijk weinig nut.

Maar ik zou wel eens willen weten waarom de brief naar het
slagveld ruikt, als hij in een ziekenhuis is geschreven. Misschien is het toch een signaal van Edgar.

70

Het is maandagavond.

We hebben een ellendig weekend achter de rug. Moeder was stil. Ze zat natuurlijk over Edgar in, en de enige keer dat ze iets zei ging het over hem.

'Ik vraag me af waar Edgar met Kerstmis zal zijn,' zei ze.

Op zich geen verkeerde opmerking, maar toch was vader geïrriteerd. Hij stoof op, snauwde dat ze moest ophouden met steeds over Edgar te tobben. Toen ging hij weg.

Dat was op zaterdagochtend en zodra hij weg was, greep ik mijn kans om Edgars brief in vaders bureau terug te leggen voor hij gemist werd. Dat zou alleen maar nog meer problemen geven.

Ik probeerde moeder niet met woorden te troosten, maar met daden. Ik ging met haar winkelen, maar ze staarde lusteloos naar de artikelen en had geen zin om met de verkoopsters te praten.

Bij warenhuis Needham bleef ze bij een toonbank met handschoenen staan. In de hoop haar interesse te wekken vroeg ik of ze nieuwe handschoenen voor de winter wilde.

Ze gaf geen antwoord, staarde maar wat naar de toonbank.

'Moeder?' probeerde ik opnieuw. 'Is er iets bij wat u wilt?'

Zonder iets te zeggen bleef ze maar turen. Ik zag een winkeljuffrouw aarzelen of ze wel of niet naar ons toe zou komen.

'Moeder?'

'Ik vraag me af of Edgar geen koude handen heeft.'

Ik keek naar de verkoopster en glimlachte, maar schudde intussen mijn hoofd om haar uit de buurt te houden.

'Hij maakt het heus wel goed,' zei ik.

'Maar het zal daar zo koud zijn, en zo nat.'

'Hij redt zich wel, moeder. Weet u nog hoe knap hij eruitzag in zijn uniform? Hij heeft vast alles wat hij nodig heeft.'

'Denk je echt, Sasha?'

Nu hield ze tenminste op met dat gestaar naar de handschoenen en keek ze naar mij, maar mijn hart brak toen ik de blik van diep verdriet in haar ogen zag.

'Ja,' fluisterde ik. 'Ik weet het wel zeker. Kom nu maar mee. Laten we bij Hannington gaan kijken of de stof die u nodig hebt er is.'

Ik moest haar zo ongeveer de winkel uit sleuren, maar eindelijk stonden we buiten. Het was gaan regenen en we hielden het verder voor gezien. Om eerlijk te zijn was ik opgelucht dat ons middagje winkelen voorbij was.

Thuisgekomen kleedde ik me om voor de late middagdienst. Het was bitter, ellendig weer toen ik op weg ging naar het kruispunt van Seven Dials en overstak naar het ziekenhuis.

Het begon weer te stortregenen toen het ziekenhuis in zicht kwam en ik zette het op een rennen naar de ingang.

Ik voelde me op slag beter toen ik door de deuren ging. Beter, eigenlijk blijer, ondanks alles wat hier was gebeurd. De warmte in het gebouw, de geluiden en het licht deden me goed. Even bleef ik staan en verwonderde me om de drukte, het komen en gaan van mensen, hoe de verpleegsters en broeders bezig waren, en ik besefte dat ik in heel korte tijd gehecht was geraakt aan deze omgeving.

'Fox,' groette een verpleegster lachend toen ze langsliep, en ze knikte me toe.

Ik lachte terug en ging aan het werk.

Mijn dienst was rustig, maar er waren twee interessante nieuwtjes.

Allereerst was er zuster Maddox. Zodra ik op zaal kwam, kon ik merken dat er iets was veranderd, maar het duurde even voor ik ontdekte wat het was.

'Heb je het gehoord?' zeiden de verpleegsters tegen me. 'Van Maddox.'

'Ze is weg!'

'Ze is naar Frankrijk.'

Mijn verbazing moet op mijn gezicht te lezen zijn geweest.

'Ja, gek hè,' zei iemand. 'Wij stonden er ook van te kijken. Blijkbaar vond ze dat ze zich hier niet nuttig genoeg kon maken. Ze heeft ervoor gezorgd dat ze naar Frankrijk is uitgezonden, naar een hospitaal in Rouen.'

Maddox had zo'n harde, ongevoelige vrouw geleken. Je ziet dat wel vaker in medische kringen, maar misschien hadden we haar toch verkeerd beoordeeld. Ze had niemand verteld dat ze wegging en vertrok zonder een woord tegen wie ook van haar ondergeschikten. Ze is nog niet vervangen, maar dat is niet zo vreemd. Steeds meer verpleegsters vertrekken naar de grote ziekenhuizen in Frankrijk, naar Parijs, Rouen waar Maddox heen gegaan is, of Boulogne, waar Edgar lag toen hij gewond was. Ze melden zich vrijwillig aan en moeten dan wachten tot ze een oproep krijgen. Ik weet dat vader verantwoordelijk is voor het accorderen van sollicitaties van verpleegsters uit ons ziekenhuis.

Ik heb hem over de situatie in Frankrijk horen praten. Ik weet dat hij daarvan afkeurend zou zeggen: 'Altijd maar kijken, altijd maar luisteren'. Maar zo kom ik nog eens wat te weten, door te kijken.

De bestaande Franse ziekenhuizen raakten aan het begin van de oorlog algauw overbezet, waarna andere gebouwen, zoals hotels en pakhuizen, als noodhospitaal in gebruik werden genomen. En overal zitten ze te springen om verpleegsters, zeker om zulke ervaren krachten als zuster Maddox. Maar toch blijf ik het onvoorstelbaar vinden dat zij naar Frankrijk wilde.

Het tweede bericht dat ik hoorde kwam als een nog grotere schok.

Onderweg naar huis na mijn dienst zag ik aan de overkant van de straat een verpleegster die ik kende dezelfde kant uit gaan als ik. We hebben kennelijk hetzelfde dienstrooster, want ik kom haar regelmatig tegen. Het was de verpleegster die me in de linnenkamer met Evans had aangetroffen.

Ik zette mijn kraag op en deed alsof ik haar niet gezien had, maar ze had me al opgemerkt. Ik versnelde mijn pas, maar ze stak op een holletje over en ging naast me lopen.

'Wacht!' zei ze. 'Ik moet je iets vertellen. Het gaat over je vriend. Evans. De man uit Wales.'

'Laat me met rust,' zei ik ongelukkig en ik liep hard door.

'Nee,' zei ze. 'Nee... luister nou. Dit wil je vast horen. Hij slaat geen wartaal meer uit. Ik bedoel dat hij weer beter wordt.'

Ik hield mijn pas in en keek van opzij naar haar, probeerde in te schatten of ze me plaagde of niet.

'Joost mag weten wat je gedaan hebt, maar het heeft geholpen. Alle verpleegsters hebben het erover. Dat hij door jou beter is geworden.'

Ik bleef staan.

'Hoe weten ze dat?' vroeg ik. 'Wie heeft hun dat verteld?'

Het meisje bloosde en ik had mijn antwoord.

'Maak je niet druk,' zei ze haastig. 'Het is maar verpleeg-stersroddel. Je vader... ik bedoel, de artsen letten daar toch niet op. Die denken gewoon dat het door hun behandeling komt dat hij opknapt.'

'Misschien is dat ook zo,' zei ik.

Ze haalde haar schouders op.

'Afijn,' zei ze, 'ik dacht zo dat je het wel zou willen weten.'

'Bedankt hoor,' zei ik, en ik meende het.

69

Vannacht heb ik weer van de raaf gedroomd.

Het was een levendige droom, zo echt dat alles werkelijkheid leek toen ik midden in de nacht met bonkend hart wakker werd.

Ik vloog. Ik vloog hoog boven een donker wordend landschap en zonder een spoor van twijfel wist ik dat het de vlakte bij Troje was. Zag ik wat Cassandra had gezien?

De zon ging onder. Ik besefte wel dat voor de mensen op de grond diep onder me de zon allang onder was, maar op deze hoogte kon ik nog het laatste stukje rode zon achter de verre horizon zien zakken. Nog één keer flakkerde de gloed op als bij de smeulende steenkolen in een vuur en doofde toen. De nacht viel in en omarmde de aarde met haar duistere vleugels. Vanuit het westen stroomde de duisternis over het land, maar toch kon ik alles vreemd scherp zien.

Wervelend en stijgend als een roofvogel zag ik in de verte de muren van de grootse stad, met erbovenop de dreiging van speerpunten. Maar mijn aandacht werd getrokken door de velden onder me, waar ik een verschrikkelijke aantrekkingskracht van de dood vandaan voelde komen, alsof de vertrekkende zielen van de afgeslachte mannen mij met zich mee wilden nemen.

Ik verzette me.

Ik verzette me, probeerde hoogte te winnen en weg te vliegen, maar het lukte niet. Ik begon pijlsnel te dalen op hetzelfde moment dat ik me realiseerde dat ik niet eens vliegen kón.

De grond kwam in razende vaart dichterbij, maar toch ook met een eindeloze traagheid die me de tijd gaf de verschrikkingen die zich daar ontvouwden te bekijken. Het was een bloedbad van uiteengereten lijken. Kapotte strijdwagens en versplinterde schilden lagen verspreid over de vlakte alsof ze uitgestrooid waren door een godenhand. Hier en daar probeerden uitgeputte soldaten nog een eind aan elkaars leven te maken, maar deze strijd was allang gestreden.

Ik kwam op de grond neer en merkte met milde verbazing dat ik de val had overleefd, want ik landde op mijn voeten, waarbij mijn benen alleen maar naschokten van de klap.

En op dat moment zag ik de raaf. Het was een enorme vogel en even kon ik me alleen maar verwonderen om zijn schoonheid. De zwartheid van zijn vleugels was volmaakt; een glanzende, olieachtige zwartheid, benadrukt door het houtskoolgrijs van de snavel. Hij hield zijn kop scheef en richtte één oog op me, en pas toen drong het tot me door waar hij bovenop stond, waaraan hij zich te goed deed.

Ik dacht dat ik moest overgeven, maar ik kon niet wegkijken. Toen sprak de vogel tegen me.

Hij sprak met de stem van de dode die hij aan flarden pikte.

'Jij!' zei de stem. 'Jij alleen hebt de verschrikking van de oorlog voorzien, en je hebt gehuild toen we je niet geloofden.'

Ik werd wakker.

68

Thomas is thuisgekomen.

Het is zo heerlijk dat ik van blijdschap bijna begon te huilen toen hij door de voordeur kwam. Ik sloeg mijn armen om hem heen om de tranen in mijn ogen te verbergen.

Lachend duwde hij me van zich af.

'Sasha!' riep hij uit en we schoten allemaal in de lach, zelfs vader, al was er eigenlijk niets grappigs aan.

'Je bent gegroeid,' zei moeder.

Tom kreunde.

'Doe niet zo mal,' zei vader. 'Hij is niet gegroeid. In je herinnering heb je hem kleiner gemaakt dan hij is.'

Vader zou daar wel eens gelijk in kunnen hebben, maar moeder had ook gelijk. Er was iets veranderd aan Tom. Ik denk niet dat hij langer was, maar hij was ouder. Hij was veel ouder geworden dan de paar maanden die hij weggeweest was.

Vader deed een stap naar voren. Ik vroeg me af wat hij van plan was, maar toen stak hij zijn hand uit. Tom keek er even naar en schudde hem toen de hand.

Ze hadden dat nog nooit gedaan en ik besefte meteen wat het betekende. Vader ziet Thomas nu voor vol aan, en inwendig glimlachte ik om wat ik hoop dat het inhoudt.

67

Vandaag hebben Tom en ik bijgepraat, verhalen uitgewisseld van ons ziekenhuisleven, hij als student geneeskunde en ik als vrijwillig verpleegster.

Babbelend hielpen we moeder kerstpudding te maken, waar we dit jaar laat mee waren. Dit is een van die klusjes die ze liever niet aan Kokkie over laat. Ze was druk in de weer in de keuken en commandeerde Molly intussen de nodige ingrediënten aan te geven. Nu ze bezig was leek ze gelukkig, en ik zag dat ze glimlachend naar ons gepraat luisterde terwijl ze een fles licht en een fles donker bier door haar mengsel roerde.

Vader kwam laat thuis en we gingen eten. Eerst was het stil, en om de een of andere reden voelde ik me zenuwachtig.

Vader keek naar Tom, met een vork vol eten in zijn ene hand. 'En hoe gaat het zoal met de studie, Tom?'

Toms gezicht lichtte op. 'Het gaat heel goed,' zei hij. 'We zijn maar met weinigen, omdat veel jongens hun eerste jaar hebben opgeschort om...' Hij zweeg.

Vader knikte.

'Ga door,' zei moeder. 'Vertel ons over Manchester.'

Tom haalde zijn schouders op. 'Het is er wel leuk,' zei hij. 'Niet zo leuk als in Brighton, maar de mensen zijn vriendelijk. Nou ja, de meesten.'

Ik kon merken dat hij aan de witte veertjes dacht die hij had gekregen. Hij had mij er meer over verteld dan moeder of vader, want hij wist dat ze erdoor van slag raakten, al is het dan om verschillende redenen.

Onder het eten praatte Tom nog een tijdje door. Toen legde vader zijn mes en vork neer en keek Tom aan.

'Ik ben ervan overtuigd dat een zoon van mij een goede arts kan worden,' zei hij. 'Maar ik denk dat je misschien niet de kans zult krijgen daar snel achter te komen.'

Tom boog zijn hoofd.

Vader had het over de dienstplicht. Het lijkt waarschijnlijker dan ooit dat die wet er binnenkort door komt.

'Als we snel handelen is de kans groot dat je bij de militair-geneeskundige dienst wordt aangenomen. Dan kun je je plicht doen op een manier waarvan jij het gevoel hebt dat het goed is.'

Vader probeerde een compromis te sluiten tussen wat Tom volgens hem moet doen en wat Tom zelf wil, en ik was stom-verbaasd dat hij het zei, want vader is er de man niet naar om problemen door middel van een compromis op te lossen.

Maar Tom boog zijn hoofd nog iets dieper en weigerde nog een hap te nemen.

66

Vandaag heb ik Evans gezien en het schijnt waar te zijn. Blijkbaar is hij beter. Ik liep met een karretje van zaal naar zaal toen ik iemand achter me hoorde.

'Alles goed met u, zuster?' vroeg hij, alsof hij dagelijks een kletspraatje aanknoopte.

Ik glimlachte. 'Ja...' stotterde ik verbaasd. 'Ja hoor.'

'Mooi zo,' zei hij. Hij stond naar me te lachen, wachtte tot ik nog iets zou zeggen.

'En hoe is het met jou?' perste ik eruit, maar intussen zag ik vanuit mijn ooghoek dat drie verpleegsters aan de andere kant van de gang belangstellend naar ons keken.

Ik wilde verder gaan met mijn karretje, maar Evans praatte alweer.

'Uitstekend,' zei hij. 'Aardig dat u het vraagt. Uitstekend, zuster.'

'Ik moet zeggen dat je er inderdaad veel beter uitziet,' zei ik. Ik was me er nog steeds van bewust dat er naar ons gekeken werd en het maakte me bang.

'Ja. Ja,' zei hij. 'Het is ronduit geweldig wat de artsen voor me gedaan hebben.'

Ik dacht aan wat hij me eerder had verteld, over de onderzoeken, over de lichten en de pijn.

'Is alles nu in orde? Die testen die ze deden...? Heb je die...?'

'Oh, nee,' zei hij snel, met een lach.

Ik begon me onbehaaglijk te voelen.

'Maar wat je me verteld hebt,' hield ik aan, 'dat je het gevoel had alsof je alles al eerder had meegemaakt. Hoe is het daarmee?'

Zijn lach verdween en hij verstrakte, stond er stram bij. Voor het eerst kon ik me wel voorstellen dat hij echt soldaat was.

'Ik weet niet waar u op doelt,' zei hij en hij draaide zich op zijn hakken om.

Ik keek naar de zusters die ons gadegeslagen hadden en ze deden alsof ze druk bezig waren.

Ik duwde mijn karretje naar de volgende zaal.

Ik voel me in de steek gelaten. Natuurlijk is het mooi dat Evans weer beter is – en ik voel me al schuldig dat ik het denk – maar toen iedereen hem voor gek versleet, meende ik eindelijk iemand gevonden te hebben die ik in vertrouwen kon nemen. En nu hij beter is ontkent hij dat we het ooit over zulke dingen gehad hebben.

Als ik alleen opvrolijk van een gesprek met een man in een periode waarin hij gek was, wat zegt dat dan over mij?

65

Tom en ik zijn vandaag kerstcadeaus gaan kopen. Het was een raar gevoel, omdat Edgar dit jaar niet thuis zal zijn. Toch moeten we proberen om er een min of meer gewone kerst van te maken, voor iedereen een aardigheidje te kopen en al die dingen te doen die bij de feestdagen horen.

Na een vergeefse, vermoeiende ochtend kwamen we tot de conclusie dat ouders onmogelijke wezens zijn om iets leuks voor te vinden, en we namen een kortere weg door een van de steegjes vanaf Middle Street om bij te komen in een klein café in de Lanes, al is dat een stadsbuurt waar vader ons liever niet ziet komen.

We bestelden thee en geroosterd brood met boter. Weggekropen in een hoekje bij het raam voelde ik me veiliger en gelukkiger dan ik me in lange tijd had gevoeld. In het ziekenhuis had ik het druk, maar hier met Tom voelde ik me pas echt veilig. Maar moe was ik ook, en dat vertelde ik hem.

'Hoe komt dat?' vroeg hij.

'Er gebeurt zo ontzettend veel,' zei ik.

'In het ziekenhuis?' vroeg hij.

'Ja,' zei ik. Daar hield ik het bij.

'Je moet natuurlijk nog erg veel leren. En soms zal het ook knap gruwelijk zijn.'

Ik knikte, en ik nam kleine slokjes van mijn thee.

Ik keek uit het raam naar de nauwe, kronkelende steegjes van de Lanes. Boven de daken kon ik een streepje hemel zien. Het zag ernaar uit dat het weer zou gaan regenen.

'Gaat het wel goed met je?' vroeg Tom.

'Ja,' zei ik.

'Maar vind je het leuk werk?'

'Dat weet ik niet,' zei ik. 'Zo heb ik er niet over nagedacht. Maar, ja, ik geloof wel dat ik het leuk werk vind.'

Hij stak zijn hand over tafel uit naar de mijne.

'Wat is er dan?'

Ik gaf geen antwoord.

'Wat is er, Sasha? Ik zie zo wel dat er iets aan je vreet. Je bent anders dan toen ik wegging. Doet vader lastig?'

Ik schudde mijn hoofd. 'Niet meer dan anders,' zei ik met een lachje. 'Eigenlijk is hij af en toe best mild voor zijn doen.'

'Wat is het dan wél?'

Ik keek mijn broer aan en wendde toen mijn ogen af. Hij was zo lief voor me, altijd al geweest, en hij was ruimdenkend en slim. Als er iemand was met wie ik kon praten, was hij het wel.

Ik gaf zijn hand een kneepje, duwde hem toen van me af.

'Alles is prima,' zei ik. 'Wil je nog thee?'

Ik kon het niet.

Hij was de enige die me zou kunnen geloven, maar als uitgerekend hij zo reageerde als ieder ander had gedaan, zou het me meer pijn doen dan ik kon verdragen.

64

Toen we thuiskwamen, troffen we moeder en vader in de salon aan. Ze hadden bezoek. Juffrouw Garrett.

Moeder dwong zich tot een glimlach toen we binnenkwamen.

'Juffrouw Garrett komt even met je praten,' zei ze, maar vader nam het meteen van haar over.

'Over je studie,' zei hij. Ik keek van moeder naar juffrouw Garrett, die zich kennelijk slecht op haar gemak voelde.

'Ga zitten, Alexandra,' zei vader. 'Tom?'

Tom stond wat onhandig te dralen in de deuropening, deed toen een stap achteruit, knikte naar juffrouw Garrett en trok de deur achter zich dicht.

'Moeder?' zei ik vragend en ik voelde me heel klein.

Moeder tuurde op haar handen, keek toen op naar vader.

'We hebben begrepen dat je de laatste tijd slecht werkt,' zei vader.

'Ik zei alleen...' begon juffrouw Garrett, maar vader onderbrak haar.

'We zijn zwaar teleurgesteld in jou.'

Toen was het hek van de dam.

'Alexandra, je bent een intelligent meisje,' zei moeder.

'Maar je bent de laatste tijd zo verstrooid,' zei juffrouw Garrett.

Ik wist niets te zeggen, want het was waar.

'Juffrouw Garrett zegt dat je een boek van haar hebt geleend,' zei vader. 'Wees zo goed dat even te gaan halen.'

Ik aarzelde, vroeg me af waar het eigenlijk om ging.

'Sasha, doe het nou maar,' zei moeder.

Ze keek zo ongelukkig dat ik haar wel door elkaar kon rammelen, maar ik ging het boek halen. Vader pakte het me af en bladerde er even in.

'Waarom wil je dit boek lezen als je tijdens de les niet oplet?'

Ik fronste mijn wenkbrauwen.

'Ik was benieuwd naar de verhalen,' zei ik. 'Het leek me een goede poging om mijn lessen in te halen.'

Dat was niet helemaal waar, maar ik kon niets beters verzinnen.

'De Trojaanse oorlogen?' zei vader. 'Achilles? Ajax? Helena en Paris?'

'U hebt een bewonderenswaardig geheugen voor de klassieken,' zei juffrouw Garrett, geforceerd jolig. Ze interpreteerde vaders toon helemaal verkeerd.

'En bovendien Cassandra?' zei hij, met verheven stem. 'Ging het om haar?'

Ik kon aan hem zien wat hij dacht, maar ik had geen idee wat ik moest zeggen. Zoals gewoonlijk had hij zijn beslissing al genomen.

Ik haalde mijn schouders op.

Het bleef heel lang stil.

63

Kort daarna stapte juffrouw Garrett op, verzon opgelaten een smoesje en wilde zich de avond in haasten terwijl moeder geagiteerd achter haar aan snelde en haar nog snel *Griekse mythen* in handen wist te drukken voor ze verdween.

Ik geloof niet dat het haar opzet was geweest me problemen te bezorgen. Ze is geen strenge lerares en ze bedoelt het goed. Waarschijnlijk was ze oprecht ongerust over me.

Moeder aarzelde in de deuropening, maar vader wilde haar er niet meer bij hebben en zei dat ze Kokkie moest zoeken om te zeggen dat hij al snel wilde eten. Ze zag de uitdrukking op zijn gezicht en ging zonder nog een woord te zeggen naar de keuken.

'Vader,' zei ik, 'ik heb niets verkeerds gedaan.'

'Hou je mond!' schreeuwde hij.

Ik ging zitten en voelde dat ik van top tot teen begon te trillen.

'Waarom moeten mijn kinderen me per se voor schut zetten?' zei hij, maar ik wist dat het niet de bedoeling was dat ik antwoord zou geven op die vraag.

'Waarover hebben jullie gepraat?' snauwde hij.

'Ik... bedoelt u juffrouw Garrett en ik?' vroeg ik.

'Nee, dat bedoel ik niet, en dat weet je heel goed!'

Ik begreep hem niet, echt niet, en vader moest het me voorkauwen, al zag ik zo wel dat hij dat niet wilde.

'Jij en die patiënt,' ziedde hij. 'Die man uit Wales.'

'Vader,' zei ik smekend, 'nergens over. Ik heb niets gezegd. Hij praatte tegen mij, ik vroeg alleen hoe het met hem ging. Meer niet!'

'Het ging wél over meer dingen.'

'Ik zweer het,' zei ik.

'Je hebt over zijn behandeling gepraat. Over mij! Geef het maar toe!'

'Nee vader, echt niet,' zei ik en de tranen stroomden over mijn gezicht.

'Jullie hebben over de testen en de elektrische schokken gepraat. Over het déjà vu dat hij zogenaamd heeft ervaren. Nou, dat is één grote flauwekul.'

Ik zei niets. Het was duidelijk dat iemand het aan vader had verteld en het had geen zin het nog langer te ontkennen.

'Jij beeldt je van alles en nog wat in, Alexandra. Je leeft naar je fantasie. Je hemelt zenuwpatiënten als Evans op en je vult je hoofd met wilde mythen uit boeken!'

Toen zweeg hij even, alsof hij van me verlangde dat ik iets zou zeggen, maar ik kon het niet. Er viel niets te zeggen.

'Je bent nu bijna volwassen, Alexandra. Heb je er dan geen moment bij stilgestaan welk effect jouw kinderlijke fantasieën kunnen hebben op iemand die een familielid heeft verloren? Hoe durf je te doen alsof je van tevoren wist dat het ging gebeuren? Zo tactloos! Zo respectloos! Hoe durf je te spelen met het leed van anderen!'

'Nee, vader!' riep ik uit. 'Dat is niet eerlijk. Ik heb niemand kwaad gedaan.'

'Misschien niet,' zei hij. 'En ik zal zorgen dat je er de kans niet voor krijgt ook. Je mag niet meer terug naar het hospitaal.'

'Maar vader...'

'Je hebt me gehoord. Ik verbied je door te gaan met de verpleegkunde. Dat is voorgoed voorbij. Je gaat weer fatsoenlijk studeren en je zult je gedragen op een manier die past bij een jongedame van jouw stand. En daarmee uit.'

Hij verliet de kamer en een paar tellen later hoorde ik hem het huis uit gaan, ook al was het bijna tijd voor het avondeten.

Hij zal vast niet van gedachte veranderen.

62

Een generatie mensen is als de blaadjes aan een boom. Als de winterwind waait, dwarrelen de blaadjes naar de grond, maar met de lente barsten de knoppen open van een nieuwe generatie die de vorige vervangt. Maar dit is een strenge winter, zoals we er nooit eerder een hebben gekend.

Ik denk aan de woorden van mijn droom, die me werden toegekraaid door die kwaadaardige vogel op het slagveld: 'Jij hebt de verschrikkingen van de oorlog gezien, en je huilde toen we je niet geloofden.'

Ik begrijp echt niet goed wat ik misdaan heb in vaders ogen. Ik begrijp niet wat er zo vreselijk aan is, maar toch word ik gestraft. Niet alleen met woorden, ook met daden. Ik mag niet langer in de verpleging werken.

En allemaal om iets wat ik nooit heb gewild. Ik heb een kracht meegekregen die me in staat stelt het einde te voorspellen, maar niet om het te kunnen voorkomen of zelfs maar om anderen te doen geloven wat ik gezien heb. In loze fantasieën lijkt het misschien een prachtige gave om de toekomst te kunnen voorspellen, maar dat is het niet.

Het is niets meer of minder dan een vloek.

61

Het is bijna Kerstmis.

Ik ben niet meer in het ziekenhuis geweest, er zelfs niet bij in de buurt gekomen. Ik heb geen visioenen meer gehad en toch heb ik het gevoel dat het noodlot om me heen draait zoals een blad dwarrelt in de ban van de kleine windhozen die door de herfstachtige straten gaan.

Vandaag is er weer iets voorgevallen. Ik liep van juffrouw Garretts huis door het Preston Park naar huis en was verbaasd toen een soldaat, die heuvelopwaarts kwam, voor me bleef staan.

'Dag zuster,' zei hij. 'Dit weerzien is meteen een afscheid, lijkt me.'

Het was David Evans. Ik denk dat het door zijn uniform kwam dat ik hem niet meteen herkende.

Ik zocht naar woorden. Ik wist dat het misschien kwam door iets wat hij had gezegd dat ik mijn baan kwijt was geraakt, maar daar wilde ik het niet over hebben. Het was zijn schuld niet en hij was zich waarschijnlijk van geen kwaad bewust.

'Ga je weg?' vroeg ik, al zag ik dat zo ook wel. Hij had een plunjezak op zijn rug en hij liep in de richting van het station.

'Jazeker,' zei hij lachend, alsof het de gewoonste zaak van de wereld was. 'Ik moet weer naar mijn kameraden terug. Dat is belangrijk. We steunen elkaar, hoor. Anders redden we het niet.'

Ik knikte.

'Ja,' zei ik. 'Ja. Maar heb je geen familie waar je eerst langs moet?'

'Nee, geen familie,' zei hij. 'De jongens, de sergeant-majoor. Dat is mijn familie. Snapt u?'

Ik knikte nogmaals.

'Nou, ik moet voortmaken om de trein naar Southampton te halen. De boot wacht niet, ziet u!'

Ik glimlachte.

'Nog één ding,' zei hij. 'Mag ik u een kus geven?'

Ik deed een stap achteruit, maar ik kon zien dat hij het heel onschuldig bedoelde.

'Als ik de jongens vertel dat ik zo'n mooi meisje als u heb gekust,' zei hij lachend, 'dan zien ze groen en geel van jaloezie!'

Ik moest ook lachen. 'Goed dan,' zei ik. 'Zijn alle mannen uit Wales zo charmant als jij?'

'Niet allemaal,' zei hij met een knipoog.

Hij boog zich voorover en gaf me een snelle zoen op mijn wang, als van een oom.

Toen hij zich weer oprichtte merkte ik dat hij peinzend naar me keek. Naar mijn ogen.

'Wat is er?' vroeg ik.

'Niets,' zei hij op achteloze toon, 'niets. Alleen... Maar goed, ik moet er nu vandoor. Dag.'

Hij gooide zijn plunjezak weer over zijn schouder en vervolgde zijn weg naar het station.

Ik voelde vanbinnen een warme gloed van plezier toen ik hem zag gaan – al had ik nooit gedacht dat ik mijn eerste kus zou krijgen van een soldaat uit Wales.

Ik stond voor een raadsel. Hij leek helemaal beter en had niets meer van de trieste man die hij geweest was toen ik hem voor het eerst zag. Zo'n genezing kwam bij shellshock maar zelden voor en de rest van de dag bleef ik erover piekeren hoe hij beter was geworden.

60

Het is Kerstmis geworden. Het is nu vrijdagavond en morgen is het eerste kerstdag.

Eerder vanavond zaten we in de salon en dronken we een glas sherry, zelfs ik. Moeder vroeg of ik kerstliedjes op de piano wilde spelen, wat ik wel voor haar wilde doen, al was het niet met overgave. Eigenlijk speelde ik zelfs slecht, maar moeder en vader en Tom zongen mee en bedankten me achteraf.

Ik ben kwaad op vader omdat hij me verboden heeft nog als vrijwillig verpleegster te werken. Ik ben verdrietig dat moeder niet heeft geprobeerd hem om te praten, en gefrustreerd omdat Tom het niet voor me op kan nemen.

Zijn eigen situatie is al moeilijk genoeg, met de spanning tussen hem en vader doordat hij niet in dienst wil. Tom houdt vol dat hij zijn studie pas opgeeft als hij ertoe gedwongen wordt. We weten maar al te goed dat het ons geen van beiden zou helpen als hij zou proberen voor mij te bemiddelen.

Er is een kerstkaart van Edgar gekomen. Vraag me niet hoe hij de tijd heeft gevonden die te schrijven en te sturen. Het is een Franse kaart, heel uitbundig, met een paar jongedames op een slee, gewikkeld in bontjassen. *Joyeux Noël* staat er in sierlijke letters op de voorkant.

De kaart is een paar dagen geleden gekomen, maar vader had hem verstopt om het een verrassing te laten zijn en vanavond las hij hem voor.

Lieve familie,
Jullie zijn nu vast bij elkaar op Clifton Terrace. Ik zou er ook
graag bij zijn geweest, maar dat is nu eenmaal onmogelijk.
Niettemin wens ik jullie allemaal fijne kerstdagen. Wij krijgen
ook een klein feestje, Deo volente, dus zit niet over mij in. Hier
moet ik het bij laten.
Liefs van Edgar

Vader zette de kaart op de schoorsteenmantel, fier in het midden, waarvoor hij een kaart van iemand anders opzijschoof.

Moeder was dolblij.

'Toch was het onaardig van je dat je hem voor ons verborgen hield,' berispte ze vader zachtaardig.

Hij glimlachte en kuste haar op haar voorhoofd.

'Maar het is het mooiste kerstcadeau dat we ons kunnen denken,' zei ik en iedereen was het met me eens.

Daarna aten we speciaal voor kerstavond een diner van gans uit de oven en we gingen blij naar bed.

Nu ben ik erg moe, het is al laat en Kerstmis is aangebroken.

59

De nachtmerrie die ik met angst en beven zag aankomen is begonnen.

Ik weet niet wat ik doen moet.

Ik weet me geen raad.

Ik werd vroeg wakker, maar zonder de blije opwinding die bij de kerstochtend hoort. Ik was in de ban van de angst. En mijn hart bonsde zo hard dat het pijn deed.

Vanuit het niets kwam er een gedachte bij me op.

De kerstkaart. Edgars kerstkaart. Het drong opeens tot me door dat vader de kaart, nadat hij hem tevoorschijn had gehaald en had voorgelezen, meteen op de schoorsteenmantel had gezet.

Ik had hem niet aangeraakt.

Maar nu heb ik dat wel.

Ik ben naar beneden gegaan, heb hem gepakt, omgedraaid en gelezen.

Dat is al uren geleden. Ik kan me niet eens herinneren hoe ik weer boven ben gekomen. Ik moet op de vlucht zijn geslagen naar de veiligheid van mijn eigen kamer.

Ik weet niet wat ik doen moet.

De kaart staat hier voor me, en ik moet er voortdurend naar kijken, het handschrift zien.

Woorden die nu gevlekt zijn door mijn tranen.

Ik kan nog steeds zien wat er staat, in Edgars handschrift, maar toen ik de kaart voor het eerst zelf las, hoorde ik iets waardoor ik nu hetgeen weet wat me zo bang maakt.

De woorden staan er zoals vader ze voorlas. Maar met de kaart in mijn handen hoorde ik Edgars stem iets heel anders zeggen.

'Hier moet ik het bij laten. Ik heb een bajonet in mijn rug gekregen terwijl ik zelf een ander met een bajonet aanviel. Hier moet ik het bij laten. Ik ben dood en het is voorbij.'

Ik heb hier uren zitten beven en huilen. Ik ben te bang om iets te doen, om met iemand te praten. Buiten is het licht geworden, in mijn achterhoofd hoor ik vaag de meeuwen krijsen, maar ik kan me niet bewegen.

Ik kan me er niet eens toe zetten om naar Tom te gaan, al wil ik nu niets liever dan hem bij me hebben.

Ik weet dat ik gelijk heb, maar niemand zal me geloven.

Wat moet ik toch doen?

Er wordt op de voordeur geklopt.

Ik kijk naar de klok. Het is later dan ik dacht. Het is al negen uur geweest.

Suffig bedenk ik dat niemand komt aankloppen rond negen uur op kerstochtend.

Ik weet wie het is.

Ik hoor moeder de trap af gaan.

Met Edgars kaart in mijn hand geklemd doe ik mijn deur open, ga naar beneden en bereik de overloop op het moment dat moeder de voordeur opendoet.

Ik hoor één woord, zacht uitgesproken, op een toon van verschrikkelijke eerbied.

'Telegram.'

Meer niet.

En dan hoor ik moeder gillen.

Ze gilt maar en gilt maar.

58

De gebeurtenissen van kerstochtend liggen al maanden achter ons, maar ik zie ze nog zo scherp voor me alsof het de dag van vandaag is. In zeker opzicht zie ik ze nu zelfs scherper dan op het moment zelf, omdat mijn blik toen vertroebeld werd door angst en verdriet.

Nu is er alleen nog verdriet.

57

Morgen is het 25 juni.

Er is een halfjaar voorbijgegaan sinds we hoorden dat Edgar gesneuveld is. We zijn een halfjaar en vijf dagen verder dan dat verschrikkelijke moment, maar nog steeds kunnen we geen bijzonderheden te weten komen.

Het telegram was kort en feitelijk, en om eerlijk te zijn deed het er destijds niet echt toe. Maar nu wil ik er veel meer van weten. Ik wil alles weten, al zullen we misschien nooit alles te weten kunnen komen.

Begin januari hebben we een herdenkingsdienst voor Edgar gehouden, maar er was geen uitvaart, omdat er geen lijk was dat we konden begraven. Hij ligt ergens in België op een militaire begraafplaats.

In een brief die we later kregen van een vriend van hem, ook een kapitein van zijn bataljon, stond dat hij gesneuveld was tijdens het leiden van een inval in de vijandelijke loopgraven. Hij schreef dat Edgar buitengewoon moedig was geweest en dat de inval een groot succes was.

Maar dat is gelogen.

Op hetzelfde moment dat ik Edgar tegen me hoorde zeggen dat hij dood was, kreeg ik een verschrikkelijk tafereel van dat moment voor ogen.

De paniek. De totale verwarring. Niemand was moedig, geen

Engelsman, geen Duitser. Verschrikking, doodsangst en paniekerige wreedheden heersten toen Edgars patrouille op de verkeerde plaats arriveerde, toen ze doodden en gedood werden; het enige succes van de paar mannen die het geluk hadden terug te kunnen strompelen naar hun eigen loopgraaf, was dat ze konden navertellen op welke gruwelijke mislukking de onderneming was uitgelopen.

Maar ik zei niets van dat alles tegen wie dan ook.

Moeder en vader klampen zich wanhopig vast aan het idee dat hun zoon een heldendood is gestorven, alsof dat verschil maakt. Dood is dood. Maar ach, als ze er iets aan hebben om zo te denken, dan laat ik hen in die waan.

56

Zes maanden.

Het langste halfjaar van mijn leven. En al die tijd hebben we een schijnleven geleid, hebben we gedaan alsof. Alsof het leven gewoon door kon gaan, alsof de oorlog snel voorbij zou zijn, alsof Edgar weer thuis zou komen, alsof het allemaal niet echt was.

Nu kennen we de waarheid.

Moeder is er kapot van, vader is somber, en Thomas?

Thomas is weg.

Dat is nog bijna het verdrietigste van Edgars dood.

Op die kerstochtend is er iets in hem veranderd.

Hij huilde niet, zoals moeder en ik. Vader schreeuwde en vloekte, maar Tom werd op slag heel stil.

Nu is hij in Frankrijk.

55

Nog maar een paar dagen nadat het telegram was gekomen, misschien nog niet eens in het nieuwe jaar, vertelde Thomas ons dat hij toch bij het leger ging.

Moeder nam het zwaar op en smeekte hem niet te gaan, maar vader... Ik had gedacht dat hij blij zou zijn, dolblij zelfs omdat hij het meningsverschil met Thomas had gewonnen, maar dat was niet zo.

'Goed,' zei hij, maar zijn stem klonk toonloos. 'Ga dan maar. Ik ben trots op je omdat je de juiste beslissing hebt genomen. Jij kunt óns trots maken en de herinnering aan je broer levend houden.'

Het was ongelooflijk wat Thomas deed toen vader uitgesproken was.

Hij sloeg hem.

Daar, op dat moment, gaf hij hem een vuistslag tegen zijn kin. Vader wankelde achteruit en viel in een stoel neer, maar nog verbluffender was zijn reactie.

Hij deed niets.

Ik dacht dat hij zou ontploffen, Tom een pak slaag zou geven, hem het huis uit zou gooien, op zijn minst zou vervloeken. Maar hij deed niets.

Hij zat in die stoel zijn kin te wrijven en hij zag eruit als een vermoeide, oude man.

Tom keek kwaad van de een naar de ander, draaide zich toen op zijn hakken om en vertrok. Toen hij wegging zag ik dat bloeddruppels van zijn knokkels dropen en vlekken maakten op het kleed in de hal.

54

Dat moment van zes maanden geleden, dat zo levendig in mij voortleeft, werd door ons vergeten, of liever gezegd genegeerd.

Tom ging terug naar Manchester na de herdenkingsdienst voor Edgar, zonder nog met wie dan ook van ons te praten.

Zelfs niet met mij, en ik kon dat maar moeilijk verdragen.

Eén ding was duidelijk: hij was van plan dienst te nemen.

Vader pleegde een paar telefoontjes en slaagde er opnieuw in, zoals eerder bij Edgar, om een aanstelling voor Tom te regelen bij de Royal Army Medical Corps, de militairgeneeskundige dienst, dankzij Toms opleiding op een dure privéschool waar hij ook de vooropleiding voor officieren had gevolgd.

Toen, zonder waarschuwing, kwam Tom naar Brighton terug. Vader had dagenlang geprobeerd met hem in contact te komen om hem van de aanstelling te vertellen en hij was een beetje geërgerd toen Tom zomaar op een dag in januari door de achterdeur het huis in kwam wandelen.

'Ik vertrek,' zei hij.

We keken allemaal verwonderd; hij was er net.

'Ik vertrek naar Frankrijk,' legde hij uit.

'Hoe kan dat nou?' zei moeder. 'Vader heeft net een plek voor je geregeld bij de RAMC, je kunt nog niet meteen vertrekken.'

Tom keek van haar naar vader.

Geen van beiden zei iets, maar toen stak Tom vader onhandig zijn hand toe. Hij hield zijn hand uitgestoken voor wat bijna een eeuwigheid leek, tot vader eindelijk reageerde en hem de hand schudde.

'Dank u wel,' zei Tom.

Moeder glimlachte.

'Je zult het goed hebben bij de RAMC,' zei vader. 'Je bent daar veiliger, maar kunt toch... nou ja. Helpen.'

Tom deed bruusk een stap achteruit.

'Nee,' zei hij. 'U begrijpt het niet. Ik ben u dankbaar dat u moeite voor me hebt gedaan en me daar een aanstelling wilde bezorgen. Maar die neem ik niet aan.'

'Wat?' zei vader, met een stem hoog van ongeloof.

'Ik laat me niet aanstellen. Ik heb getekend bij het bataljon privéscholen van het 20ste garderegiment Royal Fuseliers in Manchester. Als soldaat.'

Ik zag moeders hand naar haar hals vliegen en alle kleur verdween van haar wangen.

Ik stond op, greep Tom vast, smeekte hem niet te gaan, maar hij wilde niet naar me luisteren, naar niemand van ons.

Ik vroeg hem wat er veranderd was, waarom hij geen arts meer wilde worden, ik vuurde vragen op hem af, maar hij ging nergens op in.

Moeder probeerde tevergeefs niet te huilen, vader stampvoette door de keuken, begon steeds iets te zeggen, zweeg dan, witheet van woede.

'Maar Tom,' soebatte moeder, 'bij de militairgeneeskundige dienst ben je veel veiliger, en je wilt toch dokter worden, ja toch? Ja toch?'

Tom keek haar aan, ongelukkig, met trillende lippen.

'Het heeft geen zin.'

Meer wilde hij niet loslaten.

53

Hij is in januari weggegaan. Het is nu juni. De winter ging voorbij, het voorjaar kwam en ging en nu is het zomer.

Het is zo stil in huis. Vader werkt meer overuren dan ooit. Moeder zegt alleen het hoognodige, en ik word aan mijn lot overgelaten, dag in dag uit, om gek van te worden.

Ik heb te veel tijd om te piekeren, veel te veel.

Ik pieker over alles wat er gebeurd is met mij en ons gezin, en het doet me helemaal geen goed. Ik bid als een dom klein meisje dat ik echt weer klein mag zijn. Zodat dit allemaal niet gebeurd is. Zodat Edgar weer leeft en Tom weer gelukkig is. Ik verlang ernaar een klein meisje te zijn dat in een zomerse tuin speelt, maar zelfs in die wens schuilen nare herinneringen. Daardoor begrijp ik hoe naïef ik ben. Die fijne tijd van vroeger is voorbij. Voorgoed voorbij. Het komt nooit meer terug. Nu zie ik in hoe de kloof tussen mij en mijn familie is ontstaan. Het heeft allemaal met Clare te maken. Moeder werd daar zo bang van dat ze sindsdien haar best heeft gedaan om een toekomst op afstand te houden die zij niet voor mij wilde. Vader geloofde het niet, sloot zich voor me af en Edgar volgde als altijd vaders voorbeeld. Alleen Tom bleef nog vertrouwen in me hebben, waarschijnlijk omdat hij te jong was om iets anders te kunnen dan domweg van zijn kleine zusje blijven houden.

En dat gevoel draag ik sindsdien altijd mee. Een schuldgevoel omdat ik mijn familie ben kwijtgeraakt door wat ik ben, waardoor zij hun vertrouwen in mij hebben verloren.

Op een dag probeerde ik vader ervan te overtuigen dat ik de verpleging weer in moest.

Hij leek te luisteren, maar hij weigerde in te stemmen. Toen herinnerde ik hem er stom genoeg aan dat Edgar had gezegd dat ik de kans moest krijgen verpleegster te worden, en dat ik opnieuw die kans moest krijgen.

Het was een vergissing om Edgars naam te noemen.

Eind mei was ik jarig.

Ik ben achttien geworden.

Over een paar dagen is het Thomas' verjaardag. Op 1 juli wordt hij negentien. Ik vraag me af waar hij dan zal zijn. Hij schrijft zelden. Toen hij nog in Manchester was schreef hij voortdurend, maar nu houdt hij zich stil. Het is voor hem natuurlijk ook moeilijker om te schrijven dan het voor Edgar was. Edgar was officier en genoot privileges. Tom is een soldaat zonder rang en we hebben maar twee briefkaarten ontvangen, die het leger verschaft. Er staat een rijtje doorsnee keuzemogelijkheden op en Tom streept door wat niet van toepassing is.

Beide keren heeft hij alle mogelijkheden op de kaart doorgestreept behalve de eerste.

Het gaat goed met me.

En hij heeft er zijn naam onder gezet. Dat is alles wat we van hem weten.

52

Nu weet ik wél iets meer, iets wat ik liever niet had willen weten.

Ik had geen voorgevoelens meer gehad na die keer dat ik Edgars kerstkaart aanraakte, maar vannacht kwam de raaf weer bij me terug in mijn droom.

Ik hoorde zijn vleugelslag harder en harder klinken.

Hij kwam heel dicht bij me.

De vleugel vlaagde voor mijn gezicht heen en weer – zo dichtbij dat ik de weerhaakjes in de veren kon zien. De vleugel deinde als een enorm zwart toneelgordijn in de schouwburg en trok toen op om duizend raven te tonen die rond de boomtoppen van een verwoest woud zwermden.

De raven weken uiteen en ik zag een wapen.

Het wapen ging af, met een donderende knal die me onmiddellijk wakker schudde.

Net voor ik de droom uit werd geduwd zag ik in een flits nog iets.

Het doel van de kogel.

Thomas.

Hij werd geraakt.

Hij gaat sterven.

51

Eindelijk is mijn tijd aangebroken.

Dat weet ik door het visioen van Thomas' dood.

Hoe het komt weet ik niet, maar toen ik huiverend wakker lag na de droom wist ik dat het nog niet gebeurd is en dat het nog een tijd kan duren voordat het gebeurt. Het is beslist iets wat nog in de toekomst ligt.

Ik weet ook niet waarom me dit overkomt, en hoe het in zijn werk gaat. Het voelt alsof er een spel met mij wordt gespeeld, met mijn leven en mijn lot. En met het lot van ons gezin.

Eindelijk krijg ik de kans iets te doen met wat ik gezien heb.

Het heeft geen enkele zin er met mijn ouders over te praten. Ze denken toch maar dat mijn fantasie met me op de loop gaat. Als ik hun zou vertellen dat ik weet dat Tom gaat sterven, denken ze vast dat ik stapelgek ben geworden.

Nu moet ik met deze vloek leven, de vloek om de toekomst te kennen maar nooit geloofd te worden.

Ik heb eerder visioenen gehad: bij Clare, bij die soldaat, bij Edgars vriend, bij die patiënten. Bij Edgar zelf. Maar niemand had er iets aan.

Wat had het dan voor nut? Edgar was al dood en ik was niet gewaarschuwd; ik wist het maar een paar tellen voor we het te horen kregen via het telegram.

Maar deze keer...

Deze keer is het anders – ik krijg de tijd om iets te doen met deze voorspelling. En als ik het mis mocht hebben, maakt het nog niet uit voor wat ik heb besloten te doen.

Er is een groot offensief in voorbereiding; de kranten staan er vol van. De Britse en Franse legers hebben zich maandenlang voorbereid op een massale actie, als we het geloven moeten. Als het waar is zullen er talloze slachtoffers vallen, maar Tom zal daar niet bij zijn, want ik ga dat voorkomen.

Ik heb het helemaal uitgedacht.

Vader mag me dan uit het ziekenhuis weren, ik loop regelmatig verpleegsters die ik ken tegen het lijf. Dan maken we een praatje en ze vertellen me wat er zoal gaande is. Zo weet ik dat veel meisjes zich vrijwillig opgeven om als Rode Kruisverpleegster naar Frankrijk te gaan. De hospitalen daar zitten om hen te springen.

Ik weet uit welke havens ze vertrekken, waar ze aankomen en waar ze vervolgens naartoe gaan. De schepen vertrekken bijna altijd uit Folkestone, iets verderop aan de kust. Ze varen naar Boulogne of Rouen, en de nieuwste lading vrijwillige verpleegsters wordt daar met andere bevoorrading gelost.

En morgen gaat er een extra verpleegster mee.

Ik weet niet waar Toms bataljon is, behalve dat het ergens in Vlaanderen moet zijn; als ik daar eenmaal ben zal het toch niet al te moeilijk zijn om uit te zoeken waar precies.

Dan neem ik hem mee naar huis en zorg ik dat zijn dood geen werkelijkheid wordt.

Het is waar dat ik mijn familie ben kwijtgeraakt en zij hun vertrouwen in mij, maar dit is mijn kans om alles weer recht te zetten. Ik wil de kloof tussen ons overbruggen en zorgen dat alles weer goed komt. Als ik Tom red, zullen ze me misschien eindelijk begrijpen en weer van me houden.

Ik ga Tom redden.
Het is mijn enige hoop, maar ik kan het.
Ik moet.

Deel twee

50

Ik ben nu al bijna een week in Frankrijk, maar ik heb niet eerder de kans gehad even rust te nemen en na te denken.

Een week die wel een jaar lijkt, zoveel is er gebeurd.

Toen ik op zee zat was ik nog min of meer van plan een dagboek van mijn reis door Frankrijk bij te houden, maar ik zie nu wel in dat het een belachelijk idee was. Er is geen tijd voor, en na één week ervaring met de werkelijkheid van de oorlog weet ik al dat ik liever alles wat ik zie zou vergeten dan er een blijvend verslag van te maken.

Het is zaterdagochtend en ik zit in de kantine. Overal klinkt het lawaai van het ruststation en de geluiden van treinen. Ik kan maar amper bevatten dat ik hier ben, in Frankrijk. Binnenkort word ik overgebracht naar Veldhospitaal 13, gevestigd in barakken hoog op de rotsen, maar eerst moet ik twee weken werkervaring opdoen in het ruststation. Ze zeggen dat het een voorproefje is van wat me te wachten zal staan. Ik kan hun natuurlijk niet vertellen dat ik niet van plan ben lang te blijven. Zodra ik erachter ben waar Tom is, trek ik verder.

Het ruststation is onderdeel van het spoorwegstation: twee wachtkamers op het perron die in beslag genomen zijn en ingericht als veldhospitaal. We hebben een behandelruimte, apotheek, voorraadkamer en een personeelsgedeelte. Eten wordt buiten klaargemaakt op grote verplaatsbare kookplaten.

Er is op deze plek een ruststation ingericht omdat de gewonden hier regelrecht in onze handen rollen vanuit treinen die dicht bij het front vertrekken. Wij zijn de eerste halte. We geven de mannen te eten en te drinken, knappen ze op en verbinden zo nodig hun wonden. Dan moeten ze weer verder, naar het ziekenhuis in Rouen of het revalidatieoord in Le Havre. Als ze geluk hebben, worden ze meteen naar een schip gebracht dat huiswaarts vaart.

Er is nog een andere mogelijkheid. Als ze in het ruststation sterven, worden ze afgevoerd en begraven.

Het is een onvoorstelbaar oord, dag en nacht vol mensen. Vol lawaai en bedrijvigheid. Iedereen hier spreekt Engels, wat ik eerst vreemd vond, maar er zijn bijna geen Fransen. Deze plek is nu blijkbaar in handen van het Britse leger en de weinige overgebleven Fransen zijn of heel oud, of juist heel jonge jongens. De anderen zijn weg. De oorlog in. De achtergeblevenen werken als broeders en kruiers, zoals de oude man die chef is van het perron. Hij leidt zijn eigen kleine leger dat uit jonge jongens bestaat; ze werken onafgebroken en heel efficiënt. Het station is nu een combinatie van treinstation en veldhospitaal en voor zover ik het kan bekijken loopt dat goed. Op het perron is zelfs een spoor aangelegd voor een houten vrachtwagonnetje dat voorraden en medicijnen van het ene eind van het perron naar het andere brengt. De hele dag door schreeuwt de Fransman tegen zijn jongens, die druk in de weer zijn bij de vrachtwagon, stiekem ritjes maken en lol trappen als ze denken dat niemand op hen let.

Ik ben afgelopen maandag uit Brighton weggegaan. Dat was op de 26ste, maar voor het zover was moest ik mijn ontsnapping voorbereiden.

49

Het was een ware ontsnapping. Ik besefte maar al te goed dat ik mijn ouders onmogelijk kon vertellen wat ik van plan was. Het enige wat ik kon doen was een brief posten voor ik uit Brighton vertrok. Zij en hun vrienden zullen diep geschokt zijn als ze erachter komen dat hun dochter verdwenen is, maar dat kan ik niet helpen. We leven in een moeilijke wereld.

Op de zondag voor mijn vertrek moest ik het eerste deel van mijn plan uitvoeren. Een kleine missie die nodig was om al het andere mogelijk te maken van wat ik tot nu toe heb klaargespeeld.

Het was zondag, vroeg in de avond. Een warme avond, al was het bewolkt, maar moeder keek er niet van op toen ik aankondigde dat ik even ging wandelen.

'Neem een jas mee,' riep ze vanuit de keuken. 'Het ziet er naar uit dat het straks gaat regenen.'

Meer zei ze niet, maar hoe kon ze ook weten dat mijn bloed kookte van de zenuwen?

'Heb ik bij me,' riep ik terug.

Ik ging het huis uit en zette koers naar de boulevard, waar ik op mijn passen terugkeerde door Montpelier Road in te gaan. Daar verdween ik in de drukte van mensen die een luchtje aan het scheppen waren. Ik ging op weg naar het ziekenhuis.

Ik had mijn jas over mijn arm; daaronder had ik een linnen

tas verborgen, netjes opgevouwen.

Al ging mijn hart nog zo tekeer, ik wist dat ik de meeste kans op succes maakte door zo ontspannen mogelijk over te komen en vol zelfvertrouwen te lijken. Toen ik dan ook naar binnen ging, knikte ik de dame van de receptie toe. Ik kende haar van gezicht en zij wist wie ik was.

'Even iets halen voor vader,' zei ik bij wijze van uitleg, terwijl ik uit alle macht probeerde om zowel verveeld als geïrriteerd te klinken.

Het lukte. Ik ging de centrale hoofdtrap op, alsof ik op weg was naar vaders kantoor.

Ik moest ook echt iets uit zijn kantoor hebben, maar eerst ging ik zijn deur voorbij. Binnen brandde geen licht en ik wist dat het uit zou blijven. Vader liep wacht met andere burgeragenten en klopte bij mensen aan om te zeggen dat er verduisterd moest worden.

Ik liep naar het einde van de gang, waar ik via de diensttrap naar beneden ging en uitkwam bij mijn doel aan de achterkant van een van de zalen. De waskamer.

Ik bofte dat het die avond rustig was in het ziekenhuis, maar toch keek ik goed de gang door voor ik naar binnen glipte.

Even sloeg de paniek toe. De waskamer lag vol vuile lakens, dekens en slopen. Ook zag ik verpleegstersuniformen, maar niet wat ik hebben moest. Er lagen genoeg gewone uniformen, maar ik had er een voor vrijwilligsters nodig. En niet alleen het binnenuniform, maar ook het zware, bruine buitenuniform.

Koortsachtig doorzocht ik de stapel schoon wasgoed, maar ik vond niet wat ik zocht. Wanhopig keek ik om me heen en zag een mand met vuile was. Ik rommelde erin en trok uiteindelijk een paar lange, grijze VAD-uniformen tevoorschijn. Daarna vond ik schorten, elk uitgedost met een rood kruis.

Er kwam een gedachte bij me op. Ik hield een van de jurken voor me, maar ik was er niet zeker van.

Ik keek naar de deur; er zat geen slot aan de binnenkant. In plaats daarvan rolde ik een enorme wasmand naar de deur en zette het handvat klem.

Snel kleedde ik me uit en paste de eerste jurk, wat maar goed was ook; hij was voor een veel langer iemand bedoeld en stond me idioot. Ik zou meteen opvallen. Onhandig trok ik hem weer uit en stak mijn armen in de tweede jurk. Die zat goed. Ik trok hem weer uit en deed mijn eigen kleren aan. Ik propte het uniform in het linnen tasje, samen met het schoonste schort dat ik kon vinden en een paar verpleegsterskapjes.

Een buitenuniform was nergens te bekennen, en ik besloot dat ik maar gewoon mijn jas aan zou moeten houden en het erop moest wagen.

Ik trok de wasmand terug naar zijn plaats, legde mijn oor tegen het matglas van de deur en glipte weer naar buiten.

Ook nu kwam ik op weg naar vaders kantoor niemand tegen.

Ik probeerde de deur, die tot mijn opluchting niet op slot zat. Dit was tenslotte een ziekenhuis, geen gevangenis.

Snel ging ik naar binnen.

Even bleef ik besluiteloos staan en toen ging ik op jacht.

Ik wist dat mijn vader verantwoordelijk was voor het goedkeuren en in werking zetten van de procedure waardoor geselecteerde vrijwilligsters naar Frankrijk konden gaan. Bij mijn laatste bezoek aan zijn kantoor, toen we tevergeefs thee wilden drinken, had ik een grote archiefdoos op zijn bureau zien staan met daarin, hoopte ik, mijn kaartje naar Frankrijk.

De doos stond er nog, met het opschrift GEALLIEERDE OORLOGSCOMMISSIE, BUITENLANDSE DIENST.

Er zaten allerlei documentenmappen in, elk op naam van een verpleegster. Ik keek ze door. In de eerste mappen zaten alleen inschrijvingsformulieren; de verpleegster had zich aangemeld voor buitenlandse dienst; ze had bericht gekregen dat ze geselecteerd was; ze had een paspoort aangevraagd, enzovoort. Daar had ik allemaal niets aan. Ik doorzocht de hele doos. Alle paperassen waren hetzelfde. Ik probeerde mijn kalmte te bewaren terwijl ik het bureau doorspitte. Toen zag ik in vaders postvak-uit een andere map liggen, die er op het oog niet anders uitzag dan de mappen die ik had bekeken. Hij had er kennelijk vrijdagavond nog aan gewerkt; hier was de procedure afgerond.

Ik greep de map en keek de inhoud na.

De geselecteerde verpleegster heette Miriam Hibbert. Ik kende haar niet en ik wilde haar liever ook niet kennen. Ik stond op het punt haar plannen om naar het buitenland te gaan ernstig te dwarsbomen.

Alles wat ik nodig had zat erin. Een afgerond dienstcontract. De band met het rode kruis voor om haar arm. Het identiteitsplaatje. De 'rode vergunning', waarmee reizen naar het buitenland geoorloofd was.

En dan het paspoort.

De moed zonk me in de schoenen. Ik had nog nooit een paspoort gezien. Voor de oorlog hadden we ze niet nodig gehad. Ik wist niet dat er pasfoto's in stonden. Ik bekeek het zwart-witportretje van Miriam Hibbert. Ze leek geen spat op mij. Ik kon er niets mee. Hoe moest ik me voor haar uitgeven als dat fotootje bewees dat ik loog?

Maar ik wilde het niet zomaar opgeven en ik bekeek haar identiteitsbewijs van de Engels-Franse ziekenhuizen. Het was een kleine, papieren pas. Zonder foto.

Er stond in dat de pas een geldige legitimatie was wanneer een paspoort ontbrak. Ik had geen idee wat dat in de praktijk betekende, maar mijn hart sprong op. Bij wijze van persoonsbeschrijving werden alleen basisgegevens vermeld. Naam, adres, leeftijd, lengte. Ook nu bofte ik. Met haar één meter achtenzestig was Miriam een paar centimeter kleiner dan ik, en ze was drieëntwintig. Ik kon wel voor drieëntwintig doorgaan. Er volgde een korte, summiere persoonsbeschrijving. Lang, rond gezicht, bruine ogen. Normaal postuur. Steil, donkerbruin haar op schouderlengte.

Behalve het ronde gezicht en normale postuur klopte het met mij. Enfin, ik kon altijd nog zeggen dat ik was afgevallen. En mijn haar kon ik kortwieken.

Ik moest weg, maar op het moment dat ik de papieren boven op het uniform in mijn linnen tas schoof zag ik een boek dat ik herkende op vaders bureau liggen.

Impulsief pakte ik het op en schoof het bij de andere spullen in mijn tas.

Het bloed bleef twee keer zo snel als normaal door mijn aderen gieren, zelfs toen ik al halverwege huis was. De hele tijd verwachtte ik hollende mensen achter me aan te horen komen, of kreten van: 'Houd de dief!' Maar er gebeurde niets en uiteindelijk begon het tot me door te dringen dat ik geslaagd was in mijn missie. Mijn paspoort voor Frankrijk zat veilig en wel in een linnen tas onder mijn arm.

Toen ik bij de kruising van Seven Dials kwam bleef ik in een portiek staan en haalde het boek tevoorschijn.

Juffrouw Garretts exemplaar van *Griekse mythen*.

Er was geen twijfel mogelijk. Daar, op de flap van het schutblad, stond haar naam in een meisjeshandschrift.

Het boek was weer in mijn bezit. Moeder had het juffrouw

Garrett in handen geduwd toen ze vertrok op die vreselijke avond meer dan een halfjaar geleden. Had ze het aan vader teruggestuurd? Dat moest haast wel, maar waarom?

In het boek zat een opgevouwen velletje papier en ik vroeg me af of het een briefje van juffrouw Garrett was waarin ze uitlegde waarom ze hem het boek stuurde, maar dat was niet zo. Het was een zakelijke notitie van vader die hij als boekenlegger had gebruikt. En als hij een boekenlegger gebruikte, moest dat betekenen dat hij het boek aan het lezen was. Ik stopte de brief terug tussen de bladzijden waar ik hem gevonden had.

Voor het eerst sinds ik besloten had te gaan, sloeg de twijfel toe.

48

Ik heb het boek hier bij me, hier in de kantine op deze zaterdagochtend. De dag begon met mist, die nu aan het optrekken
is. Voor me staan een kom pap en een emaillen mok met thee.
Overal om me heen hangen de geuren van de oorlog en van de
medicijnen. Ik heb het boek bij me gehouden in de grote zak
van mijn uniform vanaf het moment dat ik het terughad. Eerst
zag ik het als een teken dat thuis me waarschuwde niet te gaan.
Daarna zag ik het als een band tussen mij en Cassandra zelf,
wat me verontrustte en bang maakte. Maar uiteindelijk hield ik
het erop dat het boek me alleen geluk kon brengen, nu vader
eindelijk een poging had gedaan iets van mij te begrijpen.
Daarom heb ik het meegenomen naar Frankrijk.

Met een schok besef ik dat het Toms verjaardag is. Ik kijk op,
kijk om me heen. Niemand let op me, niemand weet wie ik
ben. Niemand hier kent Tom. Ik heb geen idee waar hij is. Heel
even voel ik me verschrikkelijk eenzaam, maar het gaat weer
over.

Ik zet de beker thee aan mijn lippen en fluister: 'Van harte
gefeliciteerd, Thomas.'

Nu ik hier zo zit en het gewicht van het boek in mijn zak voel,
mag ik van mezelf nadenken over mijn laatste uren thuis.

Bij thuiskomst ging ik regelrecht met het uniform naar mijn

kamer. Vader was er nog niet en moeder zat kleren te verstellen in de salon.

Ik ging weer naar beneden, deed of ik moest gapen en mompelde iets over vroeg naar bed gaan.

Moeder keek op. 'Goed hoor, schat,' zei ze met een zwak lachje. 'Je hebt je rust hard nodig.'

Ik vond van niet, maar het was wel precies wat ik had gehoopt dat ze zou zeggen.

'Ik neem iets te drinken mee naar boven,' zei ik en ik wilde al gaan.

Moeder gaf geen antwoord maar boog haar hoofd weer over haar naaiwerk, ingespannen turend bij het licht van de staande schemerlamp achter haar.

Het deed me opeens pijn haar zo te zien. Het had veel van een schilderij, een vrouw die zit te handwerken bij het schijnsel van een lamp, haar man ergens buitenshuis, een overleden zoon, de andere zoon ver weg aan het front. Voor het eerst van mijn leven besefte ik dat mijn moeder oud werd, en ik kon er wel om huilen.

Ik bleef lang naar haar staan kijken, maar ze was zo verdiept in haar gedachten dat ze het niet merkte. Verdriet welde zo heftig in me op dat ik het gevoel kreeg in te storten. Ik wierp een laatste blik op haar en deed mijn ogen dicht, in een poging de gedachte te verdringen dat ik haar nooit meer terug zou zien.

Ik trok de deur achter me dicht.

Ik viel in slaap, en ik sliep verrassend goed, tot de wekker om vier uur 's nachts onder mijn hoofdkussen afging.

Het was tijd om te vertrekken.

47

Het mag dan zomer zijn, maar om vier uur 's nachts is het nog donker en het blijft 's ochtends zelfs een uur langer donker omdat in mei de klok is teruggezet om stroom te besparen.

Straks zou de duisternis me goed van pas komen, maar in mijn kamer tastte ik rond naar de spullen die ik de vorige avond had klaargezet. Ik had het koffertje dat ik voor vakanties gebruikte, klein maar sterk. Alles wat ik nodig had paste erin, waaronder het uniform, wat toiletspullen en het boek van juffrouw Garrett. Ik nam al het geld mee dat ik bezat en ik haalde Kokkies huishoudgeld uit de stopfles in de keuken. Daar voelde ik me schuldig om, maar vader zou het wel aanvullen.

Het was een frisse ochtend. Om vijf uur ging er een trein naar Folkestone en ik had dus ruim de tijd, al was er iets wat ik nog doen moest. Ik haastte me naar het station, biddend dat ik geen bekenden tegen zou komen, maar daar had ik me geen zorgen over hoeven te maken. Het was nog donker en bovendien zou niemand die mij of ons gezin kende op dat vroege uur buiten zijn – een tijdstip voor dieven en melkboeren, of voor mensen als ik die een lange reis voor de boeg hadden.

Op het station ging ik meteen naar de openbare toiletten. Daar trok ik snel mijn kleren uit en verkleedde me in het VAD-uniform. Ik propte mijn eigen kleren en Miriam Hibberts paspoort in de tas en duwde hem boven op de stortbak, waar hij uit het zicht lag.

Ik pakte het spiegeltje en de schaar die ik van huis had meegenomen en bekeek mijn haar. Het was steil en makkelijk te knippen, maar toen ik klaar was zag ik hoe scheef het van achteren zat.

Ik bond mijn haar in een knotje en verstopte het onder mijn verpleegsterskapje. Ik pakte mijn koffer op en vertrok.

Aan het einde van het perron ging ik op de trein staan wachten – en om vijf over vijf lag Brighton ver achter me. Mijn reis was begonnen.

Ik dacht aan mijn ouders, die thuis lagen te slapen zonder te kunnen weten dat ik met elke minuut die verstreek een kilometer verder van ze verwijderd raakte.

46

Ik meende dat ik mijn reis tot in de puntjes had uitgedacht, maar die ochtend in de trein kwamen er allerlei nieuwe details bij me op.

Ik wist dat de hospitaalschepen van Folkestone naar Boulogne voeren, maar als ik echt had beseft waar ik me in begaf, zou ik heel wat minder dapper zijn geweest.

Zo was er de kwestie van de paspoorten. Ik hoopte maar dat het legitimatiebewijs zou volstaan.

Ik herinner me dat ik dacht dat ik het hele plan maar op moest geven toen de trein de kust naderde, anders zou ik worden aangehouden en tot mijn schande naar huis worden gestuurd. Misschien zouden ze me zelfs aanzien voor een spionne die probeerde terug te komen naar Duitsland. De kranten stonden vol verhalen over mensen die als spion gearresteerd werden, al waren de meesten waarschijnlijk volkomen onschuldig.

Zonder het flauwste benul waar ik heen moest of wat ik moest doen stapte ik in Folkestone uit de trein. Ik zag een ander meisje in VAD-uniform dat naar me lachte. Ze kwam naar me toe. Ik voelde paniek opkomen. Ik kon het maar beter opgeven en naar huis gaan, om de schaamte en boosheid van mijn ouders over me heen te laten komen.

'Ben je ook de weg kwijt?' vroeg ze.

Ik knikte.

'Ik eerst ook, maar ik heb nu alles geregeld. Ik ga naar Boulogne. Jij ook?'

Zonder erbij na te denken zei ik ja, waarna ze natuurlijk verder wilde praten.

'Hoe heet je?'

Ik aarzelde even.

'Miriam,' zei ik. 'Miriam Hibbert.'

'Waar kom je vandaan?' vroeg ze nadat ze zich had voorgesteld. Ze heette Amelia, maar ze zei dat ik haar Millie moest noemen.

'Brighton,' zei ik. Ik wilde niet lomp doen, maar ik kon het me niet permitteren om meer te vertellen.

We vonden de weg naar de haven en stonden bij het hek van de kade algauw in een rij wachtenden, voornamelijk militairen die teruggingen naar het front. Het was inmiddels halverwege de ochtend en het schip zou om twaalf uur vertrekken. Het was een hete, heldere dag en de rij was lang. Millie moest lachen om de zeemeeuwen die krassend en krijsend boven ons hoofd cirkelden. De schepen in de haven lieten af en toe hun scheepstoeters horen en we konden het zilt van de lucht ruiken.

Ondanks alles, ondanks mijn angst, was het opwindend.

Millie knoopte een praatje aan terwijl we langzaam vooruit schuifelden.

'Hoe oud ben je?' vroeg ze. 'Ik ben drieëntwintig.'

'Ik ook,' loog ik, maar ze lachte alleen en ik glimlachte terug. Daarna babbelde ze er opgewekt op los en stelde minder vragen. Ik kwam van alles over haar te weten zonder zelf veel los te hoeven laten, behalve dat ik een VAD-verpleegster uit Brighton was en me vrijwillig had gemeld voor Frankrijk.

Zij had in Londen gewerkt en was tot de conclusie gekomen

dat ze op avontuur moest, zoals ze het noemde, waardoor ze zich had aangemeld voor overzeese dienst.

Uit wat ze over thuis vertelde, maakte ik op dat ze van rijke familie was, maar het leven knap saai vond. Dit was haar manier om 'op avontuur' te gaan zonder dat haar ouders er bezwaar tegen konden hebben.

Onder het praten nam ik Millie uitgebreid op. Ze was best mooi, vond ik, al kwam veel van haar schoonheid door het feit dat ze geld aan zichzelf kon besteden. Ik vond die gedachte een beetje gemeen van mezelf, en ik probeerde aandachtiger naar haar te luisteren. Ze had een rond mondje met lippen die onder het praten krulden en tuitten en ze had net als ik donkerbruine ogen. Ik besloot dat ik haar wel mocht en haar het een en ander kon toevertrouwen. Niet de hele waarheid, maar wel een deel ervan.

'Millie,' zei ik, toen ze even zweeg.

'Ja, wat is er?' vroeg ze.

'Ik heb een probleem, maar ik weet niet of ik je wel kan vragen me te helpen.'

'Wat is er dan?'

'Ik moest vanochtend zo vroeg weg dat ik iets ben vergeten. Ik heb geen paspoort bij me.'

'Oh!' zei ze. 'Oh jee. En je brief dan?'

'Welke brief?'

'Die van je ziekenhuis. Je hebt een autorisatie nodig van de commandant van je afdeling voor overplaatsing. Je gaat me toch niet vertellen...?'

'Nee, hoor,' zei ik snel. 'Nee, die heb ik bij me. En mijn legitimatiebewijs.'

Ze keek even geërgerd, begon toen te lachen. 'Zit er niet over in!' zei ze stellig. 'Ik krijg je er wel doorheen. En wat dat paspoort betreft, enfin, we zullen eens zien hoe hard ze daarginds verpleegsters nodig hebben!'

En ze kreeg gelijk.

We kwamen vooraan in de rij en zagen een vrouw in burgerkleding, die een band van het Rode Kruis om haar mouw had. Naast haar stond een zeeman.

Millie legde met zo veel zelfvertrouwen mijn situatie uit en zwaaide zo overtuigend met mijn legitimatiebewijs dat we in een mum van tijd de loopplank op konden naar het dek. Kennelijk zijn paspoortcontroles vooral bedoeld om mensen tegen te houden die het land in willen, niet als ze willen vertrekken.

Het schip was enorm, een veerboot die omgebouwd was tot een hospitaalschip van het Rode Kruis. Het was witgeverfd met aan beide zijkanten een groot rood kruis en we kregen te horen dat het voortdurend heen en weer ging over het Kanaal om gewonden thuis te brengen en vervolgens terug te keren met bevoorrading van allerlei soort, waaronder nieuwe verpleegsters als wij.

Het schip voer uit.

45

De overtocht leek een eeuwigheid te duren. Millie nam aan dat we bij elkaar zouden blijven en ik moet zeggen dat ik blij was met haar gezelschap.

Bovendien zou ik zonder haar vast al verslagen op weg zijn geweest naar huis.

Het was een rustige overtocht, maar toch voelde ik me een beetje misselijk.

'Frisse lucht zal je goed doen,' zei Millie en omdat het een warme dag was stemde ik in.

We vonden een beschut plekje op het voordek en gingen zitten, waarbij we onze koffers als krukjes gebruikten.

'Ik ga kijken of ik ergens iets te drinken kan krijgen,' zei ze en voor ik iets kon zeggen was ze al overeind gekomen en op pad gegaan. Ze is altijd even energiek en levendig. 'Je let wel op mijn spullen, hè Miriam?'

Ik keek haar lachend na. Ze gaf me het gevoel dat alles even gemakkelijk was, en ik vroeg me af of dat ook eigenlijk niet zo was. Misschien maakte ik het leven wel moeilijker dan nodig was.

Ze bleef lang weg en ik haalde *Griekse mythen* uit mijn koffer en begon te lezen.

Uit nieuwsgierigheid sloeg ik het boek open op de bladzijde

waar vader was gebleven, en weer voelde ik een steek van spijt door me heen gaan.

Cassandra. Hij was gebleven bij een bladzijde die over Cassandra ging.

Ik zat een tijdje te lezen, maar de deining van het schip, de warmte, frisse lucht en mijn vermoeidheid kregen me te pakken. Ik moet in slaap zijn gevallen.

Dat denk ik tenminste, want een andere verklaring voor wat er vervolgens gebeurde heb ik niet.

Ik was niet langer Alexandra, in 1916, maar een ander meisje, van heel lang geleden. Ik was nog steeds op een schip en legde een noodlottige reis af, maar het was een warmere zee dan waar mijn schip voer en we gingen op kracht van de zeilen en de roeiers, niet op kolen en stoom. Een schip dat de wateren van de Hellespont verliet, met de zwaar beschadigde muren van Troje ver achter zich, om koers te zetten naar de Egeïsche Zee.

Terwijl het schip door de hemelsblauwe zee deinde, leed ik zoals het andere meisje had geleden. Ontvoerd van thuis door een gewelddadige buitenlandse vorst voorspelde ik niet alleen zijn dood, maar ook die van mij, en ondanks de hitte rilde ik van de pijn bij een storm aan toekomstbeelden die hun schaduw vooruitwierpen.

En zoals altijd was het ergst van alles dat niemand me wilde geloven.

Alles wat ik zei werd voor waardeloos gehouden, het geraaskal van een waanzinnig geworden vrouw. Toch herkende ik datgene wat zich aandiende als de waarheid, die sneller op me af kwam dan ik voor mogelijk had gehouden.

De zeemeeuwen die boven mijn hoofd cirkelden hadden me niets anders moeten zeggen dan dat we de Franse kust nader-

den, maar toen ik naar ze keek veranderden ze in raven. On-
heilspellend klapwiekten ze om de boot, krijsten naar me, dre-
ven de spot met me.

Je hoort de toekomst pas te kennen als het zover is; te vroeg de
toekomst kennen brengt voortijdig verdriet. Alles zal duidelijk
worden in het zonlicht van de dageraad.

De boot kliefde verder door de hoge golven.

44

Laat in de middag kwam de Franse kust in zicht. De zon van Folkestone was verdwenen en uit een zwarte hemel striemde een zware regenbui over ons heen. Ons schip moest wachten op een militair schip dat de haven in manoeuvreerde, zodat we meer dan een uur langzaam heen en weer voeren langs de kust.

Toen Millie eindelijk terugkwam met een fles limonade, had ze na één blik op mij besloten dat ik zeeziek was. Volgens mij was ik alleen maar moe, maar zij vreesde voor erger en sleepte me mee naar de kombuis waar het haar opnieuw geen enkele moeite kostte om iedereen naar haar pijpen te laten dansen.

Binnen de kortste keren zat ik op een officiersbrits met mijn voeten omhoog en een glas ijskoud water in mijn hand. Dit was niet de stille, onopvallende aankomst die ik voor ogen had gehad, maar Millie viel niet tegen te houden, en bovendien voelde ik me ook echt niet zo lekker.

Tegen de tijd dat het schip had aangemeerd was ik hersteld, en daarna ging alles heel snel.

We zetten voet op de kade van Boulogne, op Franse bodem. De hele reis had niet langer dan twaalf uur geduurd. Onderweg van de haven naar het station vroeg ik me af wat er thuis in Brighton gaande zou zijn. Mijn ouders moesten inmiddels ontdekt hebben dat ik weg was. Het zou nog zeker een dag duren voor ze mijn brief kregen. Ik had mezelf die voorsprong gegeven voor het geval ze me gingen zoeken, maar ook als ze de brief kregen dacht ik niet dat ze meteen gerustgesteld zouden zijn. Ze moesten wel ziek van ongerustheid zijn, maar toch voelde ik me intussen ver van hen verwijderd, niet alleen door de afstand tussen ons, maar doordat ik me bewust op mijn doel concentreerde.

Die avond werden Millie en ik naar ons detachement gebracht. We zijn hier met zijn twaalven, met een inspectrice en intendant boven ons en daar weer boven een commandant. Onze inspectrice heet zuster McAndrew. Ze is onverzettelijk, gespitst op discipline. Toen ik zei dat ik mijn buitenuniform was vergeten, moest ik er een van haar gaan kopen in het magazijn.

Ze heeft ieder van ons een boekje met het reglement gegeven, waar in detail wordt beschreven hoe we ons in Frankrijk hebben te gedragen. Ik doe mijn best geïnteresseerd te lijken, maar ik kan het gevoel niet van me afzetten dat niets van dit alles op mij van toepassing is. Mijn vermomming is een middel om mijn doel te bereiken; ik kom hier maar één ding doen. Maar omdat ik Tom nooit kan vinden als ik betrapt word, gedraag ik me zo goed en zo kwaad als het kan als een echte verpleegster.

Ik zag zuster McAndrew aandachtig naar me kijken, maar ik hield me voor dat ik het me maar verbeeldde. Ik ben nu Miriam Hibbert.

Millie en ik zijn toegevoegd aan Veldhospitaal 13, maar eerst moeten we hier in het ruststation een paar weken klaargestoomd worden in algemene vaardigheden.

Het is een vuurdoop.

43

Ze hebben het allemaal.

Stuk voor stuk.

De opgejaagde blik, door de loopgraven. Die doffe, vermoeide ogen. Iedere man die in het ruststation is geweest sinds ik hier ben, en het zijn er letterlijk duizenden, heeft een vreselijk waas om zich heen van...

...ontzetting? Angst? Pijn, uitputting, verschrikking?

Het is alles bij elkaar. Niet dat ze ronduit over de loopgraven praten; je pikt aanwijzingen en indrukken op, je hoort anekdotes en geruchten, maar niemand praat er onomwonden over. Toch is het genoeg om me een gruwelijk beeld te vormen van wat zij hebben meegemaakt, wat hun is aangedaan en wat ze anderen aandoen. Daardoor ben ik tot het besef gekomen wat er met hen aan de hand is.

Ze hebben het vertrouwen verloren.

Ze hebben geen vertrouwen meer in gewoon menselijk gedrag. En daardoor is het kleinste bewijs van aandacht, niet eens uit goedheid maar uit plichtsbesef, al genoeg om hen zo wanhopig dankbaar te maken dat het me tot tranen toe beweegt.

Ik zie Millie weinig, al zitten we in hetzelfde detachement. We hebben het zo druk dat we de zeldzame keren dat we elkaar tegenkomen amper tijd hebben een knikje of een lachje te wisselen. Maar als ik haar zie, word ik steeds getroffen door haar bruisende persoonlijkheid.

Wat mezelf betreft, bij elke stap die ik zet zie ik de dood. Ik zie die mannen al bijna geesten worden. Soms is het niet meer dan een gevoel dat me overvalt wanneer ik iemand verzorg, een droevig besef dat het verspilde moeite is hem op te lappen, omdat hij binnen twee weken toch zal sneuvelen. Soms krijg ik een visioen, gruwelijk echt, onmogelijk te negeren. De laatste keer dat het gebeurde heb ik mezelf bijna verraden. Terwijl ik een soldaat aan het wassen was, zag ik opeens maden over zijn gezicht kruipen. Ik knipperde met mijn ogen, keek nog eens en ze waren verdwenen. Ik besefte dat ik de voorspelling had gezien van zijn dood ergens in een weiland in Vlaanderen.

Ik begon te rillen, maar ik speelde het klaar mezelf in bedwang te krijgen en niemand vermoedde iets.

In zekere zin is dat nog het ergste van alles. Ik moet voortdurend mijn reacties op de visioenen onderdrukken om mezelf niet te verraden. Bijna elk uur van de dag overvallen ze me en ik moet er maar aan wennen, hoe vreselijk dat ook klinkt. Het zal natuurlijk nooit helemaal wennen, maar ik word er al beter in om zonder een spier te vertrekken met die levende lijken om te gaan.

Zou ik iets laten blijken, dan kan ik mijn kans verspelen Thomas te redden.

42

Al zijn we dan VAD-verpleegsters in het ruststation en geen beroepsverpleegsters in de veldhospitalen, we hebben veel meer taken dan alleen huishoudelijke.

Elke gewondentrein is erop ingericht meer dan driehonderd mannen op brancards te kunnen vervoeren, naast ook nog eens zo'n vijftig gewonden die nog kunnen zitten. Soms worden we overspoeld; dan stomen de treinen ieder uur het station binnen.

Omdat de mannen hier met een hospitaaltrein aankomen, zijn ze vaak al gewassen en zijn hun verwondingen verzorgd door meereizende verpleegsters, als zij er tijd voor hadden. De artsen maken uit waar ze vervolgens heen gaan: naar huis, naar het ziekenhuis hier, of terug naar het front.

De meeste gewonden hopen natuurlijk dat ze er erg genoeg aan toe zijn om naar huis te kunnen.

'Is het een *blitey*, zuster?'

Je hoort die vraag de hele dag. Het is een woord dat ze van de Indiase militairen hebben overgenomen, afgeleid van hun woord voor allerlei Britse zaken en toestanden. Hier staat 'blitey' voor letsel dat ernstig genoeg is om naar huis te mogen. Met die kwalificatie kunnen de mannen een bliteykaartje krijgen, een officieel bewijs dat op een bagagelabel lijkt; we hechten de labels van bruin karton aan gewonden die naar huis gestuurd worden. Er staan een diagonaal rood kruis en allerlei gegevens op. Vanzelfsprekend de naam van de gewonde. Zijn legernummer, regiment, de datum en naam van het hospitaalschip dat hem zal vervoeren. Op de achterkant staan de diagnose, bijzonderheden voor behandeling onderweg, zijn leeftijd, geloof en dienstjaren.

En de verpleegster reageert altijd aardig, soms met een grapje, maar ze zal nooit plompverloren zeggen dat hij de oorlog weer in moet.

'Een blitey? Welnee!' zegt ze bijvoorbeeld lachend. 'Voor zo'n schrammetje zeker!'

En als hij gaat mopperen, voegt ze er misschien nog iets aan toe. 'Maar wie weet, als je het hier nog drie, vier dagen uithoudt komt de hospik misschien wel met een hele vracht kaartjes, waarvan we hem er twee kunnen aftroggelen om op jou te plakken!'

Twee kaartjes, altijd. Ze worden namelijk alleen uitgegeven met de voorwaarde dat de man na zijn herstel naar Frankrijk terugkomt om door te vechten. Hij mag dan zwaargewond zijn, dat betekent niet dat het leger hem ontslag verleent.

Ondanks mezelf en mijn bedoeling Tom te zoeken en weer uit Frankrijk weg te gaan, raak ik steeds meer betrokken bij de gewonden. Het is onmogelijk om niet geraakt te worden door al het leed om me heen. In die korte week hier heb ik al heel wat gevallen van shellshock gezien. De diagnose op hun kaartjes is ofwel shellshock ofwel neurasthenie. Ik kan geen enkel verschil ontdekken tussen het een of het ander bij de mannen om wie het gaat, en het zal wel vooral bepaald worden door de opvattingen van de dienstdoende medisch officier. Achter de diagnose staat tussen haakjes een letter: z of G. De z staat voor ziekte, dysenterie of longontsteking bijvoorbeeld, de G voor gewond tijdens actie. Patiënten met shellshock krijgen dan weer een z en dan weer een g, alsof de artsen zelf niet goed weten waar het precies om gaat. Het lijkt misschien weinig uit te maken, maar voor de betrokkenen is het na hun herstel heel belangrijk. Gewonden hebben namelijk recht op een leger-pensioen, zieken niet. Ik vind het dan ook onthutsend hoe gemakkelijk artsen zo'n beslissing lijken te nemen.

41

Het is me nog niet gelukt iets te weten te komen over Toms bataljon. Uit de briefkaarten die hij heeft gestuurd was niets op te maken. De jongens moeten zwijgen over waar ze zijn, voor het geval de post in handen valt van spionnen en geheime legerinformatie prijsgeeft. Maar voor zijn vertrek wist Tom al dat hij naar Vlaanderen ging en die bestemming zal vast niet veranderd zijn. Als zijn bataljon daar nu is, worden eventuele gewonden bijna zeker naar Boulogne gebracht, al is er een kleine kans dat ze over het kanaal naar St.-Omer worden verscheept en dan verder gaan naar Calais.

Als het maar even kan probeer ik het regimentsembleem van de gewonden te lezen. Soms lukt het me ondanks de modder, maar soms... soms zijn de uniformen niet alleen een grote modderkoek, maar ook aan flarden gescheurd. Door de prikkeldraadversperringen. Dan vind je niets terug, weet je vaak niet eens welk stukje stof je verwijderd hebt bij je patiënt.

Ik heb geen insigne gevonden van het 20ste garderegiment Royal Fuseliers. In zekere zin is dat goed nieuws, want al zegt het weinig over Tom zelf, het kan betekenen dat zijn bataljon nog reserve wordt gehouden en op het moment niet aan de strijd deelneemt.

Ik zei dat ik niets over Tom heb gehoord, en dat is waar. Maar ik heb hem wel gezien.

Vannacht had ik weer die droom waarin ik zie hoe hij wordt neergeschoten. Het was even echt als de vorige keer, maar korter, en griezelig gedetailleerd.

De raaf was er weer, kraste me toe, bespotte me zoals steeds. Ik zag het wapen dat Tom zal doden. Ik zag het zo duidelijk dat ik het koude metaal van de loop warm voelde worden toen de kogel eruit schoot.

Tom was omringd door enorme, grillige staken die vanuit de grond tot hoog in de lucht reikten. Ik kon er niet achter komen wat dat waren en alles werd mistig.

Het is zaterdagochtend en ik zit thee te drinken en probeer het visioen van de droom uit mijn hoofd te zetten.

Het is 1 juli. Toms verjaardag. Vandaag komen er weinig treinen aan en ook in het ruststation is het stil, maar al de hele ochtend gaan er geruchten dat er iets groots ophanden is.

Verderop, in het dal van de Somme.

Er zijn mensen die met stelligheid beweren dat er een groot offensief aan gaat komen en dat we dan onvoorstelbare aantallen gewonden binnen zullen krijgen.

Maar tot nu toe is er niets anders dan een rommelend geluid in de verte.

40

De afgelopen dagen zijn omgevlogen, als een wazig beeld vanuit een voortdenderende trein.

Wat leek alles zaterdagochtend nog rustig. Kort daarna spat-
te die kalmte uiteen en wisten we dat het niets anders was
geweest dan de stilte voor de storm.

Het grote offensief is losgebarsten.

Veel gewonden worden naar de veldhospitalen in Rouen
gebracht, rechtstreeks vanaf het front in het Sommedal, maar
er komen er evenveel via Abbeville of St.-Pol bij ons.

Millie en ik draaien dezelfde diensten en alleen al die dag
hebben we zeker duizend man in ons ruststation opgevangen.
De dag daarna is het aantal verdubbeld en zo gaat het maar
door.

Het is een gekkenhuis, en ik begrijp niet hoe we ons ermee
weten te redden, maar het lukt met de moed der wanhoop. Dag
en nacht zien we de mannen op brancards binnenkomen,
rechtstreeks vanuit de trein, we lappen ze op, sturen ze door.
We laden de treinen met voorraden voor hun volgende reis:
kleding, dozen gesteriliseerde melk, boter, eieren, biscuits,
vleesextract, sigaretten. Er komt nooit een einde aan, we handelen bijna automatisch en zonder nadenken. Overal zijn
mannen. In elk hoekje en gaatje van het station liggen slapen-
de lichamen. En we werken maar door tot we iedereen hebben

verzorgd en het weer rustig wordt op het station. Dan komt de volgende trein aan.

Ik heb amper tijd gehad om aan Tom te denken. In het begin zat ik natuurlijk over hem in en verwachtte ik steeds dat ik hem onze behandelruimte binnengedragen zou zien worden. Dat zou kunnen. Een verpleegster hier zag haar eigen broer binnengebracht worden. Hij was onderweg in de trein gestorven. Het klinkt bizar, maar vroeg of laat moet zoiets wel gebeuren, met al die duizenden mannen die hier komen en gaan. Ze was ontroostbaar, maar de volgende dag was ze alweer aan het werk. Haar wereld was veranderd, maar verder veranderde er niets. Ze moet toch haar werk doen.

Na een tijdje dacht ik niet meer over Tom na, maar uit macht der gewoonte bleef ik op de emblemen letten; ik ben er niet één tegengekomen van het 20ste.

Maar toen, gisteren, dinsdag...

Het was een vreselijke dag, de regen hoosde neer in woedende vlagen. De lucht was meedogenloos donker en het was moeilijk te geloven dat het juli was. Ver in het binnenland hoorden we onweer. We dachten tenminste dat het onweer was, maar misschien hoorden we ook wel de vuurgevechten aan het front. De kanonnen.

Ik had Millie net een zware emmer aangegeven en ik was even blijven staan om mijn pijnlijke rug te strekken, toen de zuster die bij ons was een kruisteken sloeg.

Ze keek uit het raam van onze behandelkamer naar het perron. Er gleed een schaduw langs. Een koerier stak zijn hoofd naar binnen alsof hij iemand zocht. Toen ze hem zag, wendde de zuster zich met een ruk af en begon met gebogen hoofd de ruwhouten tafel schoon te maken die we voor operaties gebruiken.

De man verdween even snel als hij gekomen was, en weer sloeg de zuster een kruisteken, huiverend.

'Wat is er?' vroeg ik. 'Is er iets mis? Kent u die man?'

'Nee,' zei ze. 'En ik wil hem niet kennen ook. Iedereen weet wie hij is.'

'Ik niet,' zei ik. 'Wat is er met hem?'

Ze keek me even aan, werkte toen verder.

'Jack de Onheilsprofeet. Zo wordt hij genoemd. Hij brengt onheil en rampspoed en je kunt beter uit zijn buurt blijven.'

'Waarom dan? Wat heeft hij gedaan?'

'Het gaat niet om wat hij doet, maar om wat hij zegt. Hij is als militair begonnen. Maar toen bleek dat hij kon voorspellen wanneer zijn kameraden het loodje zouden leggen. En veel te vaak kwam het uit. Hij is er gek van geworden. Hij brengt ongeluk. Hij is behekst. Daarom wordt hij Jack de Onheilsprofeet genoemd.'

Ze sloeg voor de derde keer een kruisteken en wilde er niet meer over praten.

39

Ik moest en zou Jack de Onheilsprofeet spreken, maar er gingen twee dagen voorbij eer ik de kans kreeg. In de tussentijd was er niets anders dan werk. Ik ben zo moe. Gisteravond zag ik mezelf in een spiegel en herkende mezelf amper. Mijn wangen zijn ingevallen, mijn ogen staan dof, mijn haar is slap, mijn huid groezelig. Mijn handen zijn ruw van al het wassen. Mannen wassen, kleren wassen, mezelf wassen.

Gisteren zag ik mijn eerste gasslachtoffers. De eerste sinds... die man... in het ziekenhuis. Simpson. Ik wilde niet aan hem denken, maar het kwam allemaal terug. Wat een andere wereld lijkt het Dyke Roadhospitaal nu. Ook dat was een noodhospitaal, maar het was pure luxe vergeleken bij de primitieve vertrekken waar we hier moeten werken. De vloeren worden geschrobd, maar ze blijven kaal. De muren zijn gewit, we zetten bloemen in kruiken neer en houden alles zo goed mogelijk schoon, maar het ruststation is en blijft niets anders dan vier primitieve ruimtes op een Frans spoorwegstation.

Er waren drie gasslachtoffers. Twee soldaten en een korporaal van een Schots regiment. Hun huid was geschroeid en verbrand door het gifgas en één soldaat was blind geworden. Geen van hen kon praten, maar dat was niet nodig.

Ik kon het aan hen zien.

Het gestuntel in het duister van de dageraad.

'Gas!' riep iemand verderop aan de linie.

Ik kon hen wanhopig zien stumperen bij het opzetten van hun gasmakers. Uiteindelijk lukte het, maar het was al te laat. Het gas kwam aanwaaien op de westenwind, hechtte zich aan de grond, drong onzichtbaar door in alle hoeken en gaten. De korporaal kreeg de ergste laag, omdat hij eerst zijn twee jonge soldaten ging helpen.

In zijn hoofd kon hij zijn sergeant horen schreeuwen: 'Altijd eerst je eigen gasmaker opzetten. Je kunt geen anderen helpen als je dood bent!'

Hij hoorde die woorden nog, al was zijn sergeant inmiddels al twee weken dood. Maar hij kon er niets aan doen, hij moest de soldaten helpen. Ze deden hem zo sterk denken aan zijn eigen jongens thuis. Goddank dat die thuis waren.

Meer zag ik niet. Ik kon me niet verroeren. Vijf minuten lang was ik geen cent waard, tot Millie me iets toebeet. Ik had haar nog nooit zo kwaad gezien.

Naderhand gaf ze me een verklaring. Zuster McAndrew had bij de deur naar me staan kijken. Ik dwong mezelf weer aan de slag te gaan. Ik knipte de uniformen los en maakte de mannen klaar voor vertrek naar Veldhospitaal 13.

En weg waren ze. Zomaar drie mannen van de duizenden die ik had gezien. Maar God, wat hoop ik dat die korporaal weer zal kunnen zien.

De anderen klagen nooit, dus heb ik het lef niet. Ik ben nu eenmaal geen echte verpleegster, maar niemand kent mijn geheim, zelfs Millie niet. Ik heb altijd verpleegster willen worden, maar nu weet ik hoe naïef ik was. Ik had er geen idee van hoe het zou zijn. Ik kan dit niet.

Ik kan het tegen niemand zeggen, hoe graag ik het ook zou willen. Het liefst greep ik iemand vast en schreeuwde haar toe dat ik geen verpleegster ben, dat ik maar wat doe, dat ik niet sterk genoeg ben om opgewassen te zijn tegen de ellende om me heen. Dat ik naar huis wil.

Maar ik kan het niet. Ik denk aan Tom, en ik kan het niet.

38

Later, na de slachtoffers van het gas, ging ik met Millie naar
buiten. De kantine was vol mensen en rumoer en we gingen
met een beker thee het perron op, al schreeuwden onze benen
nog zo hard om rust.

'Laten we een stukje om lopen,' zei Millie.

Het is een groot station met veel drukte en lawaai op de per-
rons en rond de gebouwen in het midden, zodat wij naar het
uiteinde liepen. Uit die richting komen de treinen van het
front aan, maar nu was alles eventjes rustig.

Opeens moest ik aan Edgar denken. Ik was boos op hem; hij
had gezegd dat ik nutteloos en zwak was. Toen schoot me te
binnen dat hij dood was en ik voelde me schuldig.

Ik dacht aan Tom. Soms slaan die gedachten toe en ik weet
niet waarmee ik het moeilijker heb. Het feit dat Edgar dood is,
of dat Tom nog leeft maar elk moment kan sneuvelen.

Millie en ik waren bijna aan het einde van het perron. Voor
ons lagen de sporen die zich door Boulogne uitstrekten naar
het platteland, die door steden en dorpen liepen, over hellingen en door bossen, tot er ergens een einde aan de spoorbaan
kwam, misschien op nog geen twee kilometer van de frontli-
nies. Ik kon buskruit ruiken, al heb ik nog nooit van mijn leven
een geweer af zien gaan; ik kon het geschreeuw van vechtende
troepen horen.

Opeens besefte ik dat Millie naar me keek.

'Hoe oud ben je eigenlijk?' vroeg ze.

'Dat heb ik toch verteld.'

Ze keek me aan, met haar hoofd schuin.

'Hoe oud ben je echt?' vroeg ze vriendelijk.

'Achttien.'

'En je bent geen verpleegster, hè? Geen echte.'

Even probeerde ik beledigd te doen, verbaasd, maar het had geen zin. Ze wist het.

'Nee,' zei ik. 'Geen echte.'

'Wie ben je, Miriam?' vroeg ze. 'Waarom ben je hier?'

'Ik heet Alexandra,' zei ik langzaam. 'Ik ben gekomen...'

'Nee!' onderbrak ze me abrupt. 'Ik wil het niet weten.'

Kennelijk keek ik gekwetst, want haar toon werd weer zachter.

'Ik bedoel dat het vast beter is dat ik het niet weet. Ik kan het wel raden ook. Je komt je verloofde zoeken, je wilt trouwen voor hij... voor... Nou ja, zoiets.'

'Ja,' zei ik. 'Zoiets.'

Daarna bleven we allebei stil. Er ging een minuut voorbij.

Ik keek naar Millie en glimlachte.

'Hoe wist je het?'

'Zomaar een gevoel. Je bent te jong, al denk ik niet dat iemand zich daar druk over maakt. En hoe je werkt. Heb je eigenlijk wel een opleiding gehad?'

Ik schudde mijn hoofd.

'Ik heb een tijdje als vrijwilligster meegedraaid in een ziekenhuis. Mijn vader...'

Weer stak ze haar hand op.

'Vertel het me maar niet,' zei ze, maar ze lachte erbij. 'In dat geval doe je het heel goed, maar een geoefend oog pikt je er zo uit als je bezig bent.'

Het had geen zin het te ontkennen, maar haar woorden deden me pijn. Ik dacht dat ik het er heel goed vanaf had gebracht, maar als het zo duidelijk was dat ik een bedrieger was, kon mijn kans om Tom te redden me ieder ogenblik ontnomen worden.

'Ik zal je zoveel mogelijk helpen,' zei Millie.

Ze legde haar hand op mijn schouder en zonder erbij na te denken draaide ik me om en viel in haar armen. Ik huilde zacht. Toen maakte ik me los.

'Ik verpest je uniform nog,' zei ik, en we moesten lachen, al was het een korte, bittere lach. Haar uniform was allang een dweil na een dag werken, het grijze flanel zag rood van het bloed, helder en vers.

'Millie,' zei ik, 'je gaat het toch niet zeggen...?'

'Nee,' zei ze. 'Dat doe ik heus niet, *Miriam*. Volgens mij heb je een goede reden om hier te zijn en bovendien help je de gewonden. Verwijt het jezelf maar niet, want je doet goed werk. Maar als het mij is opgevallen, zal een ander het binnenkort ook zien. En ik moet je wel zeggen dat ik denk dat McAndrew je al in de gaten houdt. Wees voorzichtig.'

Ik knikte en deed een poging om te glimlachen, maar het lukte me niet. Er kon echt geen lachje meer af.

'We moesten maar weer eens aan de slag gaan,' zei ze.

We draaiden ons om en liepen terug naar het rumoer en de drukte van het ruststation.

Er was een trein in aantocht.

37

Zeven raven vliegen om mijn hoofd.

Ze wervelen en zwenken, hun roetzwarte veren roffelen in de lucht, maken zonder ophouden een donderend geluid in mijn oren dat verandert in het gebulder van kanonschoten.

De vleugelslagen klinken koortsachtiger, en als ik omhoog-kijk valt er boven mijn hoofd één enkele veer tollend als een plataanzaadje naar de aarde.

De veer komt recht op mijn gezicht af en ik wil mijn hand uitsteken om hem te vangen, maar mijn slaphangende armen weigeren dienst. De veer raakt me en veegt zacht langs mijn ogen.

Alles wordt zwart.

Ik ga zitten. Ik kan mijn handen weer bewegen en ik voel een bureau voor me staan, een soort schooltafeltje, maar ik word omspoeld door duisternis.

Ergens vanuit die duisternis begint iemand tegen me te schreeuwen. De stem is zo goed als onherkenbaar, omdat de woorden in het Grieks zijn. Eerst denk ik dat het juffrouw Gar-rett moet zijn, maar dan hoor ik wie het is.

Ik ben het zelf.

Die andere ik kermt de woorden met duivelse felheid, krijst vrijwel zonder adempauze haar zinnen.

Ze krijst me haar laatste woord toe.

De Ilias, denk ik. Dat was uit de Ilias.

'Ilias,' zeg ik.

Ja, ik weet het antwoord. Vraag alsjeblieft niet verder.

Maar ze schreeuwt en krijst me opnieuw toe.

'Wie heeft dat geschreven?'

'Homerus.'

Stel me geen vraag meer.

'Waarom is het donker?'

'Vanwege de oorlog,' stotter ik snel.

Die heb ik ook goed, maar ik wil niet meer overhoord worden. Alsjeblieft niet, want ik weet vast geen goede antwoorden meer.

En dan?

En dan...

Weer schreeuwt ze tegen me.

'*Waarom is het oorlog?*'

Ik weet het antwoord niet.

'*Waar gaat het om?*'

Ik weet het antwoord niet.

'*En de raaf?*'

'Wat is daarmee?' krijs ik terug, terwijl de tranen over mijn wangen stromen.

'*De raaf! Wat betekent de raaf?*'

'Dat weet ik niet,' huil ik.

Dat weet ik niet, dat weet ik niet, dat weet ik niet.

Er splijt een lichtflits door de duisternis en meteen daarna klinkt een vreselijke donderslag, en ik breek los van mijn nachtmerrie, zwetend, huilend, hijgend.

Maar ik leef nog.

36

Jack de Onheilsprofeet.

Ik weet niet wat ik verwachtte, waar ik op hoopte, maar het was alles behalve dit.

Zo onschuldig als ik maar kon vroeg ik rond, maar om eerlijk te zijn vermoedde niemand dat mijn interesse in Jack iets anders was dan behoefte aan roddelpraat.

Hij had een benoeming als officier afgewimpeld en was korporaal geworden. Er was hem iets overkomen en hij eindigde als koerier. Koeriers moeten berichten rondbrengen, waarbij ze zich een zekere mate van vrijheid kunnen veroorloven. Misschien komt het hem beter uit om veel op zichzelf te zijn. Ik begrijp dat wel.

Elke avond bleef ik na mijn dienst in de buurt en hoopte ik dat hij weer langs zou komen. Vanavond, toen ik vertrok, bijna te moe om nog uit mijn ogen te kunnen kijken, zag ik hem over het perron recht op me af komen lopen.

Ik bleef stokstijf naar hem staan staren, tot hij zo dicht bij me was dat ik hem aan had kunnen raken. Toen besefte ik hoe onbeschoft ik deed en opgelaten keek ik de andere kant uit. Hij moet me gezien hebben, maar hij negeerde me en liep door.

Ik draaide me om.

'Jack?' riep ik, zacht. 'Neem me niet kwalijk.'

Zonder zelfs maar om te kijken ging hij het ruststation binnen.

Ik voelde me heel dom, werd toen kwaad en besloot mijn kans niet te laten glippen.

Ik wachtte tot hij terugkwam, en ik hoefde niet lang te wachten.

Ik ging meteen op hem af.

'Jij bent toch Jack,' zei ik gedecideerd.

Hij negeerde me nog steeds en liep door. Ik holde achter hem aan.

'Jack de Onheilsprofeet,' zei ik.

Met een ruk draaide hij zich om en even dacht ik dat hij me zou slaan. Hij deed het niet, maar zijn blik was dodelijk genoeg.

Ik weet niet wat ik verwacht had. Hij is nog niet van middelbare leeftijd, maar hij is ook niet zo jong als de meeste mannen die ik hier zie. Er is iets vreemds aan hem. Iets wat zegt dat hij met rust gelaten wil worden. En wie zijn superieur ook is, hij heeft Jack niet berispt over zijn ongeschoren kin of smerige laarzen. Hij heeft een rond gezicht, met dikke wenkbrauwen, en zijn huid is groezelig.

'Sorry,' zei ik, 'maar ik wilde...'

'Noem me niet zo,' snauwde hij.

'Sorry,' zei ik weer.

Hij gaf geen antwoord maar liep rakelings langs me heen.

Ik ging achter hem aan.

'Sorry,' zei ik nog maar eens, 'maar ik wilde met je praten.'

'Erg lollig,' zei hij, zonder zijn pas in te houden.

Op een drafje hield ik hem bij. We waren bij de uitgang van het station gekomen. Ik nam aan dat hij door de poort wilde, waar ik een motorfiets tegen een reling zag staan.

'Wacht,' zei ik. 'Ik wil echt even met je praten.'

'Dat zeggen ze allemaal,' sneerde hij. 'En als ik dan het een en ander heb verteld, lachen ze me uit.'

'Nee, ik...'

'Jullie zijn één pot nat. Stom klein kreng van een verpleeg-ster die je er bent.'

'Nee!' schreeuwde ik.

Hij bleef staan en keek me voor het eerst goed aan.

'Ik ben geen... kreng,' zei ik. 'Ik moet met je praten.'

Hij stond een paar stappen bij zijn motorfiets vandaan.

'Wacht! Toe nou!' Ik begon wanhopig te worden.

Hij kwam bij de motorfiets en sloeg zijn been eroverheen.

'Ik zie dingen!' schreeuwde ik, en het kon me niet schelen of iemand anders me hoorde.

Hij aarzelde, heel even, keek me opnieuw aan.

'Geloof me toch,' riep ik uit. 'Ik zie dingen. Ik moet...'

Maar mijn stem viel in het niet bij het gebrul van de motor toen hij startte. Met één draai van zijn pols zwenkte hij weg, waarbij het achterwiel slipte in het stof. Toen raasde hij bij het station vandaan.

'Toe nou,' zei ik nog, maar hij was allang uit het zicht ver-dwenen.

35

Het is donderdagavond. Het regent al de hele dag en ik ben uit-geput. Het incident met Jack de Onheilsprofeet was de laatste druppel. Ik weet dat hij binnenkort terugkomt – als legerkoe-rier komt hij voortdurend in Boulogne, gaat hij van ziekenhuis naar veldhospitaal. Ik zal nog eens proberen met hem te pra-ten. Het enige wat hij kan doen is me wegsturen.

Millie is met een paar andere verpleegsters stiekem de stad in gegaan, al weten ze dat ze naar huis worden gestuurd wan-neer ze betrapt worden.

Ik wil dat risico niet lopen. Millie protesteerde niet toen ik zei dat ik niet mee wilde. Ze kon zien dat ik afgepeigerd was.

'Ga maar vroeg naar bed,' zei ze. 'Je hebt slaap nodig.' Ze gaf me een kus op mijn voorhoofd alsof ik haar jongere zusje was en vertrok.

Ik lig op mijn brits in ons kwartier in Wimereux, maar ik wil niet slapen. Van slapen komt dromen.

Ik denk na over deze dag.

De mannen. De aangrijpende mannen.

Er is niets heldhaftigs aan een etterende, zwerende wond en ik wilde maar dat vader hier was om het met eigen ogen te zien.

Dan zijn er de gevallen van hand- en voetverwondingen. Ik heb horen zeggen dat die vaak door de patiënt zelf veroorzaakt worden. Soms schieten soldaten zich bij een aanval in hun voet in de hoop dat ze zo aan een fijne, veilige thuisreis kunnen komen. Sommige verpleegsters doen minachtend tegen alle mannen met zulk letsel. Maar niemand weet zeker hoe ze aan hun verwonding komen, of ze wel of niet liegen.

In de veldhospitalen zeggen ze dat de mannen vuile munten in hun wond stoppen zodat ze niet beter worden en niet naar het front terug hoeven. Ik weet niet of dat waar is.

Vandaag verzorgde ik een man bij wie twee vingers ontbraken aan zijn linkerhand. Ik weet niet wat hem is overkomen; ik zag niets. Maar als de toestand zo erg was dat hij bereid was twee vingers van zijn hand te schieten, kan ik alleen medelijden voelen. Medelijden en schaamte. Het is allemaal even beschamend.

Zodra de mannen binnenkomen van het front moeten we de aard van de verwondingen bepalen en ons best doen hen niet dood te laten gaan voor ze behandeld kunnen worden. We worden hier zo overspoeld dat er geen artsen genoeg zijn. Op een gegeven moment was de situatie zo slecht dat Millie en ik de stervenden moesten scheiden van de bijna-doden. Degenen die nog een kans hadden van de kanslozen. Het leven ebde weg uit de meesten, dat kon ik voelen, maar we konden met geen mogelijkheid zeggen welke gewonde onmiddellijk behandeld moest worden en wie nog even kon wachten. We moesten het zelf beslissen, er was niemand om het voor ons te doen.

Soms kreeg ik een visioen bij degene die ik behandelde, vroeg me dan af of het nog zin had hem te helpen. Wat heeft het voor zin iemand nu te redden als hij binnen een maand toch dood zal zijn? Maar toen bedacht ik me. Als ik zou besluiten iemand over te slaan omdat hij toch binnenkort zal sterven, moet ik dan ook niet mijn pogingen opgeven Tom te redden?

We spelen voor God, maar we zijn zwakke goden. Gebrekkige, onwetende goden. Goden die vaak de plank misslaan.

Maar destijds dachten we helemaal niet zo. We deden ons best, konden alleen aan hoe koud iemand voelde bepalen of hij al te ver heen was of nog een kans had.

Dag in dag uit sneden we verband los om stinkende wonden te vinden die een einde maakten aan het normale beeld van een mannenlichaam.

Er komt een beeld bij me op terwijl ik hier op bed lig. Ik zie mezelf als gehypnotiseerd naar de chaos kijken, naar de mannen op stretchers op de vloer, de bergen laarzen en bemodderde kleren die we in een hoek hebben gegooid, de verwoeste lichamen en smerige met bloed doordrenkte verbanden. Een ondraaglijke stank stijgt op van de gruwelen die onder de proppen watten zijn verborgen. Op een gegeven moment had ik geen ander instrument om mee te werken dan een tangetje, dat in een glas met brandspiritus stond.

Ik ben zomaar een meisje in een verpleegstersuniform, wat niet wil zeggen dat ik weet hoe ik deze mannen moet redden, en zij – zij zijn zomaar mannen in uniform, wat niet wil zeggen dat ze weten hoe ze moeten sterven.

34

Ik heb bijna geen tijd meer.

Dat geldt voor mij, dat geldt voor zo veel mensen hier. Ik hoop dat het niet voor Tom geldt, maar ik kan er niet meer om bidden. Ik zal het nooit hardop zeggen, maar ik geloof niet dat God nog luistert.

Ik heb bijna geen tijd meer. Ik heb bijna geen geld meer.

De v van VAD staat niet voor niets voor vrijwillig. We krijgen geen loon. VAD-verpleegsters zijn dan ook van rijke komaf of hebben op een andere manier een eigen inkomen.

Ik telde het beetje geld dat ik nog had. Veel heb ik hier gelukkig niet nodig, maar ik moest wel van McAndrew een nieuw buitenuniform kopen. We krijgen natuurlijk te eten, hebben een uniform aan ons lijf en een dak boven ons hoofd, maar daar houdt het mee op. Als ik hier wegga om Tom te zoeken, zal ik heel weinig hebben om van te leven.

Ook heb ik geen echt plan om hem te vinden. Ik ben hier nu bijna twee weken en heb nog geen enkele militair uit zijn regiment getroffen. Verder ging mijn plan niet.

En zuster McAndrew houdt mij in de gaten.

De hemel zij dank voor Millie.

Ik weet niet hoe ze zich staande houdt. Ze heeft een grenzeloze energie. Ik hoorde haar gisteravond laat terugkomen van het uitstapje naar de stad. Vanochtend vertelde ze me dat ze een café hadden gevonden. Er werd muziek gespeeld en er werd gedanst. Er waren ook Tommies, die haar ten dans vroegen, maar ze had het afgeslagen. In plaats daarvan had ze met een jonge Franse serveerster gedanst en ze hadden zich ziek gelachen tot de vader, die eigenaar is van het café, zijn dochter had opgedragen om weer te gaan serveren.

Toch stond ze op tijd klaar voor haar dienst, terwijl ik mijn pijnlijke ledematen met moeite uit bed wist te slepen na de zoveelste nacht vol ellendige dromen. En ze was wakker genoeg om McAndrew te woord te staan.

We waren een nieuwe groep mannen aan het verzorgen.

Zuster McAndrew kwam bij Millie, mij en nog een paar vrijwilligsters staan. Ze wierp één blik op een van de militairen en blafte toen tegen mij: 'Zuster! Zuster Hibbert. Ga de Harrison halen.'

Ik had geen idee waar ze het over had.

Ze draaide zich naar me toe.

'Heb je me gehoord, zuster? De Harrisoncrème. Nu.'

Ik aarzelde.

'Je weet toch wel waar die voor is?' vroeg ze tergend langzaam. Ik kon haar achterdocht voelen.

Millie kwam tussenbeide en redde me. Ik zag aan haar dat ze expres onschuldig deed.

'Tegen luis,' zei ze. 'Toch? Zuster?'

McAndrew keek kwaad van haar naar mij. Voor ze iets terug kon zeggen, besloot ik mijn mond open te doen.

'Ik weet alleen niet waar we die bewaren,' zei ik.

'Ik wel,' zei Millie. 'Ik haal hem wel.'

Weer wierp McAndrew me een vijandige blik toe. 'Waar ben jij opgeleid?' vroeg ze.

'Ik... het Dyke Road in Brighton,' zei ik. Ik moest me houden aan wat ik van Miriam Hibbert wist. Ik had geen keus.

'Hoe lang ben je daar geweest?'

Ik zag mijn kans schoon. 'Ik heb de introductiecursus van drie maanden gedaan,' zei ik.

'Dat is te merken,' zei McAndrew, die de kans die ik haar bood een spottende opmerking te maken niet liet glippen.

'Ik wilde hier zo graag komen helpen,' zei ik, in een poging zo aandoenlijk mogelijk te klinken als ik maar kon.

En toen was Millie weer terug en ze begon met McAndrew te babbelen over haar tijd in Londen alsof ze oude bekenden waren.

Zo redde ze me eruit.

Deze keer nog wel.

33

Nadat ik op het nippertje aan zuster McAndrew was ontsnapt, zag ik Jack de Onheilsprofeet langs het raam van de behandelkamer komen. Ik keek naar Millie.

'Wil je me even dekken? Alsjeblieft?' Ik wierp haar een smekende blik toe en hoopte dat ze niet door zou vragen.

'Vlug terugkomen!' riep ze, maar ik hoorde haar amper.

Jack ging een vertrek verderop aan het perron binnen en ik volgde hem.

Hij was alleen, moest wachten om een pakket af te leveren. Hij draaide zich om toen ik binnenkwam.

'Jij,' zei hij, zonder duidelijke betekenis.

'Weet je nog wie ik ben?' vroeg ik.

Hij kreunde. 'Ik mag dan gek zijn, achterlijk ben ik niet.'

Even zwegen we.

Ik doorbrak de stilte. 'Ik zie ook dingen,' zei ik. 'Ik zie wanneer iemand doodgaat.'

Hij keek me met zo veel afschuw en haat aan dat ik het gevoel had ter plekke door de grond te kunnen gaan.

De deur vloog open.

Een overste kwam binnen; achter hem zag ik andere officieren om een bureau zitten. De overste keek even naar me, maar nam niet de moeite te vragen waarom er een verpleegster in zijn vertrekken was. Tenslotte is dit ook een soort hospitaal.

'Is dit het enige?' vroeg hij aan Jack de Onheilsprofeet.

'Overste,' zei hij en hij knikte even.

De overste wilde het pakket aannemen, maar Jack liet het niet los. Zijn vingers zaten er als bevroren omheengeklemd. Ik zag hoe Jack de overste even aanstaarde, een tel maar, misschien twee, meer niet.

'Wat doe je, man?' snauwde de overste en Jack schrok op.

Hij mompelde iets, herstelde zich, salueerde onhandig, draaide zich om en ging het vertrek uit.

Zonder te beseffen wat ik deed greep ik de arm van de overste.

'Wat krijgen we...?'

Maar ik wist het al. Ik liet zijn mouw los.

'Dank u,' zei ik heel zacht, want ik had gezien wat ik zien moest.

Ik holde achter Jack aan. Ik wil niet meer aan hem denken als Jack de Onheilsprofeet. Nu niet meer.

Ik haalde hem in.

'Zag jij het ook?' vroeg ik.

'Ga weg, meisje.'

'Je hebt het gezien. Ik heb het ook gezien.'

Hij aarzelde even voor hij antwoord gaf.

'Je hebt helemaal niets gezien.'

'Jij hebt hetzelfde gezien als ik. De overste. Dood in een bomkrater, zijn achterhoofd weggeslagen.'

'Nee!' schreeuwde hij me toe, zo hard dat ik de mensen om ons heen zag kijken.

Ik merkte niet eens dat we alweer terug waren bij de kamer waar ik aan het werk hoorde te zijn. Millie stond in de deuropening.

'Ga naar binnen,' fluisterde ze dringend. 'Schiet op zeg, voor McAndrew terug is.'

Jack was verdwenen.

Ik sloop naar binnen en ging weer aan het werk.

Maar toen... was het nog maar een uur geleden? Hij kwam naar me toe.

Ik had mijn dienst erop zitten en liep het station uit om een lift te zoeken in een legervrachtwagen naar onze barak op de heuvel bij Wimereux.

Ik hoorde de lage grom van een motorfiets achter me. Ik draaide me om en ja, daar kwam Jack in slakkengang aan gereden.

Hij haalde me in en ik bleef staan.

'Weet je ook wanneer?' vroeg hij. 'Wanneer hij doodgaat?'

Hij had het over de overste; de man van wie ik de arm had aangeraakt. Van wie ik de dood had gezien.

'Nee... dat niet,' zei ik.

Ik was bang dat het kleinste foutje van mijn kant hem weg zou jagen, maar hij bleef.

'Morgen,' zei hij. 'Morgen om deze tijd is hij dood. Verder gaat het precies zoals je gezegd hebt.'

Dat was genoeg om te weten dat hij me geloofde.

'Wil je nog praten?' vroeg hij.

'Ja,' zei ik. 'Ja, heel graag.'

'Stap op dan. Rijden we naar een rustig plekje.'

Hij knikte naar het ijzeren bagagerek achter het zadel van de motorfiets.

'Nee...' zei ik. 'Nee, dat kan niet. We mogen niet... Als iemand me ziet, word ik naar huis gestuurd.'

'Snap ik,' zei hij en hij trok zijn stofbril over zijn ogen.

'Nee!' schreeuwde ik. 'Ik ga mee. Maar dan moeten we snel weggaan.'

Ik stapte op, sloeg mijn armen om zijn middel en smeekte de hemel en de hel dat niemand me zou zien.

32

Ik denk nu niet meer aan hem als aan de Onheilsprofeet. Niet nu ik hem als mens ken. Een mens als ik. De Onheilsprofeet is een bijnaam die bijgelovigen hem gegeven hebben. Een akelig etiket om hem tot halvegare te kunnen bestempelen. Maar als hij een halvegare is, ben ik het ook.

Ik weet niet precies waar we naartoe zijn gegaan.

We reden Boulogne uit, de regen in. Ik moest mijn lange rok optrekken om op de kleine, ijzeren plaat achter op de motor te kunnen zitten. Mijn voeten steunden op de pedalen waarmee de motorfiets werd gestart, maar toch verloor ik bijna mijn evenwicht.

'Hou je vast!' schreeuwde hij achterom en ik klemde me zo stevig als ik kon aan hem vast.

We reden door een paar lelijke dorpjes verder het binnen-land in, tot we bij een wat groter dorp kwamen, dat al even mis-troostig was.

'Hier kent niemand ons,' zei hij.

Het was niet de eerste keer dat het idee bij me opkwam dat ik misschien met iets heel onverstandigs bezig was. Maar ik moest wel.

Hij hield halt bij een verlopen uitziend café, van het soort dat voor herberg moet doorgaan. Vanbinnen is het een soort bar en er worden ook eenvoudige maaltijden bereid. Ik had wel van zulke tenten gehoord, maar ik was er nog nooit binnen geweest. Leuk was anders. In een hoek stond een aftandse oude piano, maar niemand speelde erop.

Het was er druk, maar niet afgeladen.

'Niemand aankijken,' zei Jack. 'En hou je jas dicht. Verpleegsters horen hier niet thuis.'

Hij trok me mee naar een tafel in de stilste hoek.

Een jong meisje kwam naar ons toe. Zonder het te willen keek ik toch naar haar. Ze was heel jong, heel onverzorgd en toen ze sprak zag ik gaten tussen haar tanden. Ze veegde met haar hand haar neus af en keek Jack aan.

'Monsieur?' vroeg ze.

'Du vin,' zei hij. Ik durfde mijn mond niet open te doen om te protesteren, ik wist dat mijn Engelse accent me zou verraden.

Het meisje slenterde weg en kwam na een eeuwigheid terug met een kruik rode wijn en twee glazen.

'Vous mangez quelque-chose?' vroeg ze, maar Jack gebaarde dat ze weg moest gaan, wat jammer was, want ik had dolgraag iets gegeten, zelfs die onduidelijke prak die ik bij anderen op hun bord zag liggen. Vooral als ik wijn moest drinken.

Jack schonk onze glazen vol en ik keek even rond naar de andere mensen in het vertrek. Mensen uit het dorp, nam ik aan, allemaal oude mannen, op een paar jonge jongens na; het type waar iets mis mee was, anders hadden ze wel in het leger gezeten. Aan een andere tafel zaten militairen, maar ze letten niet op ons. Ik moet er niet aan denken wat ze anders van ons gedacht zouden hebben.

'Hoe lang al?' vroeg Jack.

'Ik begrijp jouw vragen nooit meteen,' zei ik en ik waagde er een glimlach aan. Hij lachte niet terug.

'Hoe lang zie je al dingen?'

Ik haalde mijn schouders op. Ik dacht aan Clare. Maar dat was zo lang geleden, en het was destijds maar één keer voorgekomen.

'Een jaar ongeveer,' zei ik. 'En jij?'

'Vanaf het begin ongeveer. Vanaf dat ik hier ben.' Hij sloeg zijn glas achterover en schonk het meteen weer vol.

Ik nam een slokje om te bewijzen dat ik heus wel eens dronk. Het was slechte wijn, maar dat kon Jack niet schelen.

'Eerst stelde het niets voor. Niet meer dan een steek. Zoiets als een muggenbeet. Zo zwak dat je het je ook zou kunnen verbeelden.'

'Was je toen commandant?'

'Hoe kom je daar nou bij? Nee, ik ben nooit commandant geweest. Ik heb een promotie afgeslagen omdat ik bij de manschappen wilde horen. We komen hier allemaal om te vechten en ik zag niet in waarom ik het alleen vanwege mijn afkomst makkelijker zou hebben dan de jongens. Ik was destijds korporaal. Maar ook korporaals horen zich niet met dergelijke zaken bezig te houden. Met bijgeloof. Wij jongens in de loopgraven, wij leven er natuurlijk mee. En we gaan er ook mee dood.

We hebben allemaal onze vaste gewoonten die geluk moeten brengen. Welke sok je het eerst moet aantrekken bijvoorbeeld. Een voorwerp bij je dragen van een dode kameraad, een horloge of zo. En het brengt ongeluk om iets goeds te zeggen zonder het meteen af te kloppen. Als je blijft leven, zie je het als bewijs dat je bijgeloof werkt en als je doodgaat, kun je niet meer tegensputteren dat het bij jou niet geholpen heeft.'

Het was duidelijk dat hij nu wel wilde praten.

'Maar wat is er dan gebeurd?' vroeg ik. 'Wanneer veranderde het?'

Hij had zijn glas alweer leeg en ik begon te betwijfelen of er nog een kans was om heelhuids in Boulogne terug te komen.

'Op een dag werd de steek een schram.'

Hij hield de kruik schuin, schonk hem leeg, zwaaide er toen mee in de lucht. Het jonge meisje bracht een volle kruik.

Ze bekeek ons nieuwsgierig en ik keek de andere kant op. Ik nam nog een paar slokken, want het leek te helpen.

'Opeens,' zei hij, 'was de steek een branderige schram geworden. Die brandde zo hevig dat ik overeind sprong. En ik begon te schreeuwen.'

'Wat schreeuwde je?'

'"Williams is geraakt!" En de andere jongens in de loopgraaf keken me aan alsof ik gek was geworden. Ga zitten, zeiden ze. Worden de zenuwen je te machtig? vroegen ze. Dat overkomt ons allemaal wel eens, zei iemand. En toen kwam vijf minuten later het bericht door. "Luitenant Williams is dood. Ruggengraat aan flarden door de neuskogel van een mitrailleurkanon." En dat was dat.

Daar stond ik, en ik vond het erg voor de luitenant. Maar ik was niet geschrokken, begrijp je, omdat ik wist dat het ging gebeuren. De jongens keken alleen elkaar aan. Dat viel me meteen op. Ze keken naar elkaar, maar niet naar mij. En dat was nog maar de eerste keer...'

'Hoe ging het verder?'

Hij antwoordde niet, maar tuurde in zijn glas alsof hij in een spiegel keek.

'Wat naar,' zei ik na een tijdje, om de stilte te doorbreken.

'Ach ja,' zei hij. 'En jij? Hoe gaat het bij jou?'

Ik vertelde hem hoe het bij mij even langzaam was begonnen als die steek bij hem. Hoe het steeds duidelijker werd. Ik vertelde hem over het ziekenhuis in Brighton. Ik vertelde hem dat mensen iets in mijn ogen hadden gezien, al wist ik niet wat.

Ik vertelde hem over Clare, en daarna over Edgar.

'Hoe heet je?' vroeg hij.

'Mijn echte naam is Alexandra,' zei ik. Ik zag er het nut niet van in tegen hem te liegen.

'Alexandra,' zei hij, zorgvuldig. Hij dacht even na. 'En niemand gelooft een woord van wat je zegt?'

Ik schudde mijn hoofd. Ik voelde dat ik zou gaan huilen als ik iets probeerde te zeggen, onstuitbaar huilen misschien wel.

'"En algauw zul je het zelf zien, om rouwend te fluisteren dat mijn woorden waar waren."'

Het was een citaat en ik herkende het. Het boek van juffrouw Garrett had toch nut gehad.

Mijn hart ging tekeer. Hij wist van Cassandra.

'En nu?' vroeg hij.

Nu, dacht ik. Tja, wat nu?

'Laat ik het anders zeggen,' zei hij. 'Wat kom je hier doen?'

Ik had hem niet over Tom verteld.

'Ik moet iemand zien te vinden. Ik heb zijn dood gezien.'

'Je vriend?' vroeg hij, zonder medeleven.

'Mijn broer. Mijn andere broer.'

Toen lachte hij om me, en ik was er niet blij mee.

'Denk je dan dat het nog niet gebeurd is?'

Ik knikte. 'Dat weet ik zeker,' zei ik.

'En wat wilde je dan doen?' vroeg hij. 'Wil jij, een meisje, het opnemen tegen het hele Duitse leger, en tegen het Britse leger op de koop toe? Je zult twee legers moeten verslaan om hem hier vandaan te halen!'

Hij vloekte bitter en nam een slok wijn.

Ik duwde mijn glas van me af. Ik had zin om hem de inhoud in zijn gezicht te smijten.

'Ik weet nog niet wat ik ga doen. Ik heb zijn dood gezien. Ik weet dat hij nog leeft. Ik ga proberen hem te vinden. Ik ga hem vertellen wat ik gezien heb en ik zal hem hier zien weg te krijgen. En nee, ik heb geen flauw idee hoe!'

Ik zweeg. Ik zag de mensen naar ons staren. Naar mij.

Jack keek me aan, vriendelijker dan eerst. 'Het spijt me,' zei hij.

'Het geeft niet...'

'Het spijt me,' zei hij, 'maar je begrijpt het niet. Als je zijn dood hebt gezien, is er niets meer aan te doen. Het gaat plaatsvinden. Je hebt de toekomst gezien. Die kun je niet veranderen.'

Zijn woorden grepen me aan. Heel diep vanbinnen had ik het steeds geweten, maar ik had die wetenschap willens en wetens genegeerd. Nu was het uitgesproken en kon ik er niet meer onderuit.

'Al die andere keren. Je hebt mensen zien sterven en daarna gebeurde het in het echt, want het was nu eenmaal de toekomst. Waarom denk je dat het met je broer anders zou gaan? Dat kan niet. Ga toch naar huis voor je jezelf de dood in jaagt. Voor jou iets verschrikkelijks overkomt. Wat wil je anders? Je verkleden als man, alsof dit een toneelstukje is, en het hele front afspeuren naar hem?'

Ik voelde de tranen van mijn gezicht op tafel vallen.

'Maar dat is...'

'Verschrikkelijk?' zei Jack. 'Gruwelijk? Doodgriezelig? Rampzalig? Zeg jij het maar. Ik zou niet weten welk woord het meest van toepassing is. De toekomst staat vast en dat kun jij niet veranderen. De toekomst staat geschreven in bloed. De dood van je broer, van jou, van mij. Alles staat vast en hoeft alleen nog maar plaats te vinden, en daar kun je verdomme niets tegen beginnen!'

Zijn hand maaide naar de kruik, die omviel en in stukken uiteenspatte tegen de muur. Wijn stroomde over het ruwe tafelblad en onwillekeurig moest ik denken aan vergoten bloed.

Een forse oude man kwam door het vertrek op ons af. Hij keek kwaad. Ik nam aan dat hij de kroegbaas was. Ik kon het jonge meisje vanachter de bar naar ons zien kijken. Ook de soldaten keken; een van hen stond op, alsof hij onraad rook.

Maar Jack voorkwam erger.

Hij stond op, haalde een enorme stapel francs uit zijn zak en legde de biljetten op een droog stuk van de tafel.

Hij stak zijn handen op naar de man, haalde zijn schouders op en gebaarde dat we weg zouden gaan. Toen de man het geld zag reageerde hij met een grijns.

Bij ons vertrek zei Jack nog iets tegen hem.

'Je suis desolé,' zei hij.

En in mijn beduusde toestand kon ik me niet herinneren of dat 'het spijt me' of 'ik ben ongelukkig' betekende, maar ik wist zo ook wel welke van de twee Jack bedoelde.

Jack was blijkbaar weer snel nuchter. Misschien was hij sowieso verre van dronken geweest, maar in ieder geval bracht hij me heelhuids terug naar Wimereux, waar het Millies beurt was om ontzet te zijn over mijn late terugkomst.

'Alexandra,' fluisterde ze in het donker. 'Ik heb McAndrew over je horen praten. Ze had het met de inspectrice van ons detachement over je. Ik kon hen niet verstaan. Ik hoorde alleen je naam noemen. Nou ja, ze zeiden Miriam, maar je begrijpt me wel.'

Ik was te moe om het me aan te trekken.

Nu lig ik in bed en probeer me alles te herinneren wat Jack

gezegd heeft. Toen hij de motorfiets stilzette en me hielp met afstappen, praatte hij op zachte toon.

'Alexandra,' zei hij. 'Probeer te begrijpen dat je er niets aan kunt doen. Ons lot in de toekomst is al beslist. We moeten het alleen nog zelf meemaken.'

'Nou, als dat zo is,' zei ik, 'is het mijn lot dat ik moet proberen Tom te redden, of hij nou doodgaat of niet.'

Jack glimlachte bedachtzaam.

'Je bent een wijs meisje. Het heeft jaren geduurd tot ik tot dat inzicht kwam. Maar goed, dan is het mijn lot je iets te vertellen. Het regiment van je broer is in Vlaanderen. In de omgeving van het kanaal La Bassée. Je kunt het niet missen. Vlak bij Givenchy is een nieuwe bomkrater zo groot als het koninklijke paleis. Maar je moet wel voortmaken, want hier blijft niemand lang op dezelfde plek.'

En hij raasde weg in de duisternis, waarbij de motor zo hard loeide dat de doden er nog wakker van zouden worden.

31

Ik droom.

Ik droom van Jack, van zijn lichtblauwe ogen, en ik kan zien
dat ze eens levendig stonden, dat ze eens blij hebben gekeken.
Ik zie hem als jonge korporaal, die het anderen graag naar de
zin maakt, die bereid is hard te werken.

Nu is het verdwenen, dat blauwe vuur in zijn ogen; het zijn
ogen die te vaak de dood hebben gezien en daar zelf doods van
zijn geworden.

Maar niet helemaal.

Ik klamp me vast aan het feit dat zelfs Jack, uit wie elk restje
geloof is weggebeukt, nog genoeg geestkracht heeft om me op
weg te helpen naar Tom.

Ik kom eraan.

30

Vijf dagen zijn voorbijgegaan sinds die avond met Jack, de langste vijf dagen van mijn leven.

Ik dacht dat ik hier gekomen was om Tom te vinden, maar de oorlog dacht er anders over. In zekere zin is het de oorlog die me gered heeft, en de oorlog die me verraden heeft.

Een dag nadat Jack me had verteld waar ik Tom moest zoeken kreeg ik nog specifieker nieuws over zijn bataljon. Ik had nog steeds geen militairen gezien met het uniform van het 20ste garderegiment, maar ik besefte dat ze binnengebracht konden zijn zonder dat ik het had gemerkt. Nog elke dag arriveerden er zeker dertig treinen vol gewonden.

Evenals in de voorafgaande week moesten we ons die zaterdag bovenmenselijk inspannen. De meeste slachtoffers werden uit het zuiden aangevoerd, van bij de Somme, maar een paar treinen kwamen uit het oosten, uit Vlaanderen, en daar richtte ik vooral mijn aandacht op.

Vanuit het oosten kwam ook uiteindelijk de boodschap waarop ik had gewacht, maar het was een miserabel bericht.

Rond negen uur die zaterdagavond stoomde een trein binnen uit Bethune en ik zette me schrap om mee te helpen met het uitladen van de gewonden. Er heerste zo veel chaos en verwarring op het perron dat het niemand opviel dat ik mijn dienst erop had zitten en al weg had moeten zijn. En zo zag ik datgene waarop ik had gewacht.

Hij was tijdens de treinreis overleden. Een soldaat met het embleem van Toms bataljon, een jongen die op een privé-school had gezeten en er zelfs nog jonger uitzag dan Tom.

Schaamteloos vervloekte ik hem omdat hij gestorven was voor ik hem had kunnen vragen waar hij vandaan kwam, waar de andere mannen nu zaten. En of hij Tom kende. Maar dat moest haast wel. Ik wist dat Toms bataljon klein en hecht is. Het heeft geen geweldige reputatie, omdat het nog nieuw is en uitsluitend uit jongens van dure privéscholen bestaat.

Maar de jongen voor mijn neus zou nooit meer vragen kunnen beantwoorden.

Verpleegsters en vrijwilligsters strompelden uitgeput de wagons uit, broeders sjouwden de stretchers het perron op. De mannen die zelf konden lopen, schuifelden langzaam naar het ruststation.

Ik moest snel zijn. De dode jongen lag op een stretcher op het perron. Je zag zo dat hij dood was, maar iedereen had het veel te druk met zorgen voor degenen die nog leefden.

Ik stak mijn hand uit en raakte zijn witte gezicht aan. Ik vind het vreselijk om het te zeggen, maar ik had inmiddels zo veel doden gezien dat het me niets deed. Als ik aan de moeders van alle soldaten zou denken die thuis zaten te wachten en te bidden, zou ik instorten. Zo is het voor alle verpleegsters. We zijn immuun geworden.

Niets. Hij was heengegaan en alles wat bij zijn leven hoorde was met hem verdwenen. Ik voelde niets, zag niets, hoorde geen woord.

Toen schaamde ik me en ging bij hem weg, voordat iemand merkte dat ik, ondanks mijn kostbare immuniteit, huilde om een dode jongen die ik nooit eerder gezien had.

29

Ik ging terug naar onze barak en sliep.

Afgelopen zondag begon het heter te worden onder mijn voeten, al had ik er geen idee van hoe snel het gevaar naderde toen ik me die ochtend samen met Millie meldde voor het werk.

Het was alweer een bewolkte, onheilspellende dag.

Onafgebroken kwamen de treinen aan, en weer waadden we door een zee van gewonden en bebloed verband en bemodderde uniformen. We sneden, maakten schoon, depten, verbonden.

Toen hoorden we dat er een tekort aan verpleegsters en artsen op de treinen was. Op dat moment zei het ons niets. Er is tekort aan alles en iedereen, overal.

Later die ochtend werd Millie verteld dat ze mee moest op een ambulancetrein naar Amiens en terug. Dat hield in dat ze uren weg zou blijven, eigenlijk het grootste deel van de dag, en ik werd bang. Ik had Millie nodig om me te beschermen, me te dekken en McAndrew in de gaten te houden.

Het mocht niet zo zijn. Rond het middaguur vertrok ze met de trein naar Amiens. Ik zag haar niet eens gaan, kreeg geen kans gedag te zeggen, want ik zat tot over mijn oren in de ellende van het ruststation. Ik vond het alleen maar jammer dat ik haar niet had zien vertrekken.

Ik had geen voorgevoel gehad. Ik wist toen nog niet wat er meteen daarna zou gebeuren. Ik had er geen idee van wat me te wachten stond en daardoor besefte ik iets waar ik niet eerder bij had stilgestaan.

Bij alles wat ik heb gezien en meegemaakt, bij alle voorspellingen, is nog nooit iets geweest wat mezelf aanging.

28

De oorlog heeft me gered.

Het was zondagavond tegen tien uur. Ik was zonder adempauze bijna veertien uur achtereen in touw geweest. Ik wist van voren niet meer dat ik van achteren leefde.

Zonder ophouden werden de mannen het ruststation in gebracht. De ene man na de andere. Lange mannen, korte mannen, magere mannen, jonge mannen. Een paar ouderen, maar niet veel. Inmiddels waren ze één pot nat voor me. Ik vind dat vreselijk. Toen ik in Frankrijk kwam, trok ik me het lot van iedere man aan, en ik zag iedereen als een individu met een eigen geschiedenis.

Nu zie ik de mannen als één grauwe massa en ik behandel iedereen hetzelfde. Ik ben afgestompt geraakt, ik kan geen gevoel meer voor hen opbrengen. Maar ik voel hun angst als één enkel, gruwelijk monster.

Af en toe zie ik de dood voor me opdoemen op het gezicht van iemand die leeft, maar zelfs dat schokt me niet meer. Ik heb het al zo vaak gezien.

Wel doet ieder sterfgeval me aan Edgar denken, en aan Tom.

Opeens werd ik weggerukt uit de moeizame hel van de behandelkamer in het ruststation.

'Hibbert!'

Ik was zo verdiept in mijn werk, zo uitgeput dat ik misschien pas bij de derde keer roepen de naam hoorde.

'Hibbert!'

Versuft vroeg ik me af tegen wie McAndrew schreeuwde, tot ik zag dat de andere verpleegsters naar mij keken.

Ik werd bijna misselijk toen ik besefte dat ze mij moest hebben.

'Kom mee jij,' snauwde ze.

McAndrew liep kordaat de gang door tot ze bij het kantoor van de inspectrice kwam.

'Naar binnen.'

Ik ging naar binnen met het idee dat ik daar werd opgewacht, maar het vertrek was leeg.

McAndrew deed de deur achter ons dicht.

'Wie ben je?' vroeg ze, en haar stem klonk veel zachter in de afgesloten kamer.

Ik aarzelde, want ik was te moe om helder na te denken.

'Miriam,' zei ik. 'Miriam Hibbert.'

'Lieg niet tegen me,' zei ze, nog steeds zacht. Ze haalde een stukje papier uit haar zak. Een telegram. 'Zodat je weet dat liegen geen zin heeft,' zei ze, terwijl ze het voor mijn ogen heen en weer zwaaide. 'Ik heb vrijdag naar het Dyke Road getelegrafeerd. Ik heb net antwoord gekregen. Miriam Hibbert is in Engeland, het schijnt dat er problemen met haar papieren zijn. Dus wie ben jij?'

Ik was sprakeloos.

Overal om me heen, maar het leek op grote afstand, kon ik het lawaai horen van het ruststation, van het komen en gaan van treinen. Ik hoorde geschreeuw op het perron buiten, het gesis van de stoomlocomotieven.

'Je weigert dus iets te zeggen?' zei McAndrew. Het lag er duimendik bovenop dat ze van het drama genoot. 'Enfin, ik heb de commandant op de hoogte gebracht van mijn bevindingen. Ik ga hem nu halen.'

Ze deed de deur open en haalde de sleutel uit het slot. Ze bleef nog even staan en keek me aan.

'Spionnen worden geëxecuteerd, weet je,' zei ze dreigend. Toen sloeg ze de deur dicht en deed hem van buiten op slot.

Spionnen? Ze konden mij toch onmogelijk voor een spionne houden?

Maar natuurlijk konden ze dat wél. Ik was dom en zwak. Ik kon het Edgar nog horen zeggen. Ik was verzeild geraakt in een situatie waar ik niet tegen opgewassen was.

Ademloos wachtte ik af.

Ik had geen idee hoe lang ik moest wachten, maar zoals ik al zei was het de oorlog die me redde.

Buiten op het perron hoorde ik hoe een trein op stoom kwam om het station te verlaten. Ergens vooraan werd geschreeuwd.

Ik hoorde mensen rennen.

'Schiet op, joh!' schreeuwde iemand plagerig. 'Anders gaan we zonder jou, hoor!'

McAndrew mocht dan de deur op slot hebben gedaan, ze was kennelijk nog een beginneling in de contraspionage. Of misschien was het domweg ondenkbaar voor haar dat een jongedame ooit uit een raam zou klimmen, zelfs als ze spionne was.

Maar er was een raam in de muur naar het perron en het zat niet op slot.

Ik deed het op een kier open en zag een legerarts naar de trein hollen.

'Op naar Bethune!' schreeuwde hij toen hij aan boord sprong. 'We gaan!'

Bethune.

Vanaf dat moment dacht ik niet meer na.

Alles wat ik deed vanaf dat moment deed ik volkomen kalm en ik zweer dat ik handelde zonder erbij na te denken.

Bethune. De trein ging naar het hospitaal in Bethune, het veldhospitaal van de basis die het dichtst in de buurt van het kanaal La Bassée lag.

Ik zette het raam wijd open en keek links en rechts het perron af. Overal waren mensen; gewonde soldaten, verpleegsters, legerartsen, broeders. Ik negeerde iedereen.

Met luid gesis en stuwende drijfstangen kwam de locomotief in beweging. Alsof het de gewoonste zaak van de wereld was, schoof ik een stoel naar het raam, ging op de vensterbank zitten, zwaaide mijn benen eroverheen en sprong het perron op. Ik liep doelbewust maar zonder paniekerige haast naar de trein en kon nog net kalmweg in het laatste rijtuig stappen toen het langzaam langs me reed.

Ik zorgde ervoor dat ik vanaf het perron niet gezien kon worden toen ik de coupédeur opendeed en naar binnen ging. Ik kwam oog in oog te staan met een VAD-verpleegster die al tot zuster was gepromoveerd, al leek ze maar een paar jaar ouder dan ik.

'Hallo,' zei ik met een lachje. 'Ik ben ook meegestuurd.'

Ze knikte.

'Ik had bijna de trein gemist,' voegde ik eraan toe, in een poging haar aan het lachen te brengen.

Ze glimlachte wel even, maar het was niet al te vriendelijk.

'Mooi,' zei ze. 'We hebben alle hulp nodig die beschikbaar is. Heb je eerder op de ambulancetrein gewerkt?'

Ik schudde mijn hoofd.

'Dan hoop ik dat je snel leert.'

De trein meerderde vaart, maar reed niet echt snel en ik wist dat hij waarschijnlijk ook niet veel sneller zou gaan. De meeste treinen worden samengesteld uit wagons van verschillende Franse spoorwegmaatschappijen en ik heb gehoord dat de sporen hier en daar kapot of provisorisch gerepareerd zijn. Het is niet veilig om hard te rijden.

Ik maakte het me gemakkelijk voor de reis, terwijl de moed me langzaam in de schoenen zonk en ik geen flauw idee had wat me te wachten stond, maar van één ding was ik zeker.

Er was geen terugkeer mogelijk.

27

'Hoe heet je?' vroeg de zuster me.

'Alexandra,' zei ik zonder erbij na te denken, maar als ze zich al afvroeg waarom ik opeens moest blozen zei ze er niets van.

'We gebruiken hier achternamen,' zei ze.

Terwijl ze op mijn antwoord wachtte bedacht ik dat het misschien nog niet zo gek was dat ik mijn echte naam had genoemd. Als iemand me zou zoeken, ging het om een meisje dat Hibbert heette.

'Fox,' zei ik. 'Neem me niet kwalijk, zuster.'

Ze was een grote, goedgebouwde jonge vrouw. Aan de witte achtpuntige ster op haar verpleegstersschort zag ik dat ze bij een St.-Jan vad-eenheid hoorde, maar ik ontspande toen ik ook verpleegsters zag met net als ik het rode kruis op hun uniform. Intussen besefte ik dat er nog veel meer details waren die me konden verraden.

'Onderweg hebben we weinig te doen,' zei de zuster. 'Maar op de terugreis...' Haar stem stierf weg. 'Nou ja, je ziet het vanzelf.'

'Hoe lang doen we erover?'

'Uren. Het is nog geen tachtig kilometer, maar je merkt hoe langzaam we gaan. Het is een lange trein, die niet zo snel kan. En soms moeten we stoppen omdat de rails geblokkeerd zijn. Of als er een luchtaanval is.'

Ze riep naar een andere verpleegster in de coupé.

'Zuster Goodall, dit is Fox. Maak haar een beetje wegwijs. Ze kan je helpen met de brechots. En daarna kunnen jullie beter allebei een dutje doen.'

Zuster Goodall kwam naar me toe terwijl de hoofdzuster de verbindingsdeur door ging naar de volgende coupé.

'Wat zijn...?' Ik had het woord niet eens goed verstaan.

Goodall lachte. 'Brechots? Zie je de rekken waar de stretchers in vastgezet worden? Dat zijn brechots. We moeten nakijken of ze allemaal klaar zijn, of alle stretchers opgemaakt zijn met schone lakens voor de volgende patiënten.'

Ik knikte.

'Ze is zo erg nog niet,' zei ze. 'De hoofdzuster, bedoel ik. Ze meende het toen ze zei dat we even moeten gaan slapen.'

Toen we klaar waren, gingen we naar het rijtuig achter in de trein dat voor de verpleegsters was gereserveerd. Daar gingen we op lage britsen liggen. Slapend vervolgden we onze reis naar België.

Naar het front, naar de oorlog.

26

De lichten in de wagon waren gedempt, de ramen waren verduisterd zodat een vijandig vliegtuig ons niet kon waarnemen. Ik kon merken dat dit een nieuwer deel van de trein was, want we hadden elektrische verlichting. De wagon had zelfs radiatoren die verwarmd werden met stoom van de locomotief.

Ik tilde de blindering een stukje op en tuurde de nacht in. Ik kon niets zien. Geen sterren, geen maan. Ik kon alleen raden hoe het land waar we doorheen reden eruitzag.

De trein stoomde verder, ratelde af en toe als hij over een obstakel reed, wiegde ons langzaam in slaap.

Maar ik was te onrustig om goed te slapen en ik moest praten.

Goodall lag zachtjes tegenover me te snurken.

Ik voelde me schuldig, maar ik moest wel. 'Wakker worden,' zei ik, terwijl ik zacht aan haar schouder schudde. 'Word eens wakker.'

Het duurde even voor ze haar ogen opsloeg en haar hoofd optilde.

'Wat is er? Zijn we er?'

'Nee.'

'Laat me dan slapen, wil je?'

'Ik ben bang,' zei ik. 'Toe nou.'

Ze kwam overeind.

'Dat ken ik,' zei ze. 'Ik was de eerste keer ook bang.'

'Hoe vaak heb je dit al gedaan?'

'Eén keer.'

'Hoe dicht komen we bij het front?'

'Hangt ervan af,' zei Goodall. 'Waar het hospitaal in Bethune is. Maar hoor eens, als we er eenmaal zijn krijg je het zo druk dat je geen tijd zult hebben om bang te zijn.'

Ik keek op mijn horloge. Het was na middernacht.

'Ga slapen,' zei ze. 'We zijn er sneller dan je denkt.'

Ze kon niet weten wat er in me omging, ze wist niet van Tom. Ik vroeg me af of we er inderdaad snel genoeg zouden zijn.

Ik ging weer op de brits liggen, deed mijn schort af om het als hoofdkussen te gebruiken. Het was zachter dan eerst – het had al heel lang geen stijfsel meer gezien, maar toch was het geen behaaglijk hoofdsteuntje. Ik was vanaf de vroege ochtend in de weer geweest en ik kon mijn ogen niet meer openhouden. Mijn gedachten zweefden weg, maar ze bleven helder. Ik had het gevoel dat ze voor me uit gingen. Ik steeg op, keek wentelend in de donkere Franse lucht op de stoomtrein neer. Af en toe stookte de machinist de ketel op en ik zag de oranje vlam van het kolenvuur hoog oplaaien.

Als ik achter me tuurde kon ik helemaal over zee naar Engeland kijken. Over het water, langs de pieren, naar Brighton. Bij ons thuis binnen. Ik kon moeder en vader niet zien, voelde hun aanwezigheid niet. Ik vroeg me af wat ze aan het doen waren. Ik wist dat ze ongerust zouden zijn over mij, maar ze konden er geen idee van hebben waar ik heen was gegaan.

Toen, ergens voor me uit, zag ik heel andere lichtflitsen. En na elke flits kwam een donderend gerommel. Ik zweefde verder, nu ver voor de trein uit, en begon de zielen te voelen van degenen die gestorven waren en die nog zouden sterven.

Het maakte me bang, want ik dacht dat ik nog wakker was. Ik maakte mijn gedachten los van wat daar op ons wachtte en probeerde een plan te bedenken. Ik was rechtstreeks van het ruststation gekomen, zonder geld, met niets anders dan het uniform dat ik aanhad. Als we bij het veldhospitaal in Bethune aankwamen zou het daar een hels gekkenhuis zijn. Ik zou zeker de kans krijgen weg te glippen, maar waarheen? Zonder geld, zonder enig idee hoe ik Tom moest vinden.

En de gewonden dan? Het was niet de bedoeling geweest dat ik met de trein meeging, maar ik was er nu eenmaal. Als ik Tom ging zoeken, moest ik mannen die ik kon helpen mijn rug toekeren.

Ergens onderweg sliep ik toch nog, en ik droomde. Het voortratelende geluid van de trein veranderde in het geluid van vleugelslagen. En zoals ik wel had gedacht, wachtte daar in mijn dromen de raaf op me.

Ik was bijna blij hem te zien, want hij moest me iets vertellen. Ik moest van hem horen welke betekenis hij had, maar deze keer zei hij niets. Hij hipte klapwiekend rond op de stomp van een verwoeste boom. Hij hield zijn kop scheef en deed zijn snavel open, maar er kwamen geen woorden. Met zijn stilte dreef hij de spot met me.

Hij vertelde me niets en ik werd wakker en vervloekte hem, omdat ik nog steeds niet begreep waarom hij aan me bleef verschijnen.

En toen besefte ik dat de trein stilstond.

25

Mijn hand beefde toen ik voor de tweede keer de blindering voor het raampje optilde. Het was nog heel vroeg en een zwakke ochtendgloed gleed over het landschap.

Ik had me nog nooit van mijn leven zo alleen gevoeld. We waren oostwaarts door de nacht gerold, het binnenland in, naar het eindpunt van de spoorlijn in Bethune, dat gebruikt werd als eerstehulphospitaal. Het is een erbarmelijke plaats, een kleurloos provinciestadje dat toevallig in één klap belangrijk is geworden omdat de oorlog het heeft bezocht. Ik keek naar de gebeurtenissen op het perron toen de deur van onze coupé openging en de hoofdzuster weer binnenkwam.

'Zo, dames. We zijn er. Zet je schrap.'

Ik dwong mezelf na te denken. Ik moest besluiten wat ik ging doen en ik moest het snel besluiten, maar ik was moe, en voor ik er erg in had werden de eerste mannen al binnengebracht op hun stretchers.

De overweldigende stank sloeg me tegemoet. Ze kwamen rechtstreeks van het slagveld en stonken naar dood en verderf. Maar zoals zuster Goodall al had gezegd, tijd om bang te zijn was er niet. En er was ook geen tijd om beslissingen te nemen. Ik moest de slachtoffers helpen die aan boord werden gebracht. Zodra onze wagon vol was, begonnen we waar mogelijk hun uniformen rond de ergste verwondingen los te snijden.

Onder het werk begon ik met de mannen te praten. Na de eerste schok kon ik weer helder denken. Ik moest deze kans grijpen, want als ik terugging zou ik te veel tijd verliezen.

Iedereen die ik verzorgde vroeg ik naar Toms regiment, maar niemand kon me er iets over vertellen.

Ik werd wanhopig. De trein werd inmiddels alweer bevoorraad met water en kolen; zodra we iedereen aan boord hadden, zouden we terugkeren naar Boulogne. Ik moest domweg de trein uit glippen en het erop wagen.

Toen hoorde een van de laatste militairen die aan boord kwam me met een ander praten.

'Ik probeer mijn man te vinden,' beweerde ik net, in de hoop dat iemand dat aangrijpend genoeg zou vinden om me wijzer te maken.

'Zei u dat hij bij het 20ste van het regiment Royal Fuseliers zit?'

Ik draaide me om en zag daar een man boven in het brechot. Hij was er ellendig aan toe, maar hij leek bij zijn volle verstand.

'Ja,' zei ik. 'Ik weet dat ze hier in de buurt zijn. Ik heb gehoord dat ze bij de Rode Draakkrater zitten. Weet je waar dat is?'

'Het 20ste?' vroeg de man weer. 'Die horen toch bij de 33ste divisie?'

Ik schudde radeloos mijn hoofd. Ik had geen idee wat hij bedoelde.

'Het 33ste,' zei hij. 'Kijk. Zie je die man daar?' Hij knikte naar het raam. Het was nu licht genoeg op het perron om te kunnen zien, maar het wemelde er van de mannen en ik wist niet wie hij bedoelde.

'Hij daar, die korporaal. De kleine. Hij zit bij het garderegiment uit Wales. Die vallen ook onder het 33ste. Vraag het hem maar.'

Ik zag wie hij bedoelde.

De trein schokte hevig toen de locomotief werd afgekoppeld om naar het andere eind te worden gereden voor de terugreis.

Ik sprong van de trein het perron op en rende naar de korporaal uit Wales.

Ik greep zijn arm.

'Weet u waar het 20ste van het garderegiment Royal Fuseliers is?'

Hij draaide zich om en keek me met grote ogen aan.

'Het 20ste. Hebt u ze gezien?'

Hij zweeg, te verbaasd om iets te zeggen. Ik zag hem over mijn schouder kijken, maar ik hield vol, smeekte hem me te begrijpen, en eindelijk begreep hij het.

'Het 20ste,' zei hij. Zijn stem klonk net als die van Evans. 'Ja. Ze waren bij ons. Maar de hele divisie is verder getrokken; we werden een paar dagen geleden afgelost. Ik ben de laatste van onze garde. De andere jongens zijn weg en het 20ste zal wel mee zijn.'

Ik voelde me misselijk, bijna te misselijk om te kunnen praten.

'Waar?' zei ik en mijn stem begaf het. 'Waar zijn ze naartoe, weet u dat?'

Hij schudde zijn hoofd en ik dacht dat hij bedoelde dat hij het niet wist, maar daar was het niet om.

'De Somme,' zei hij. 'Iedereen is naar de Somme. Hier is alles nu rustig. Daar hebben ze alle manschappen nodig. Waarom wil je dat allemaal weten?'

Ik zat hier helemaal verkeerd.

Als in een roes was ik me ervan bewust dat de korporaal weer over mijn schouder keek.

Ik draaide me om en zag twee potig uitziende militairen voor me staan, met de rode petten die het kenmerk waren van de marechaussee. Een derde stond bij het opstapje van de coupé met de hoofdzuster te praten die ik aan boord had ontmoet. Ze wees in mijn richting.

'Ik ben geen spionne,' zei ik, maar het was tevergeefs.

Er werd niet naar me geluisterd.

24

Ze hebben het te druk om te beslissen wat ze met mij aan-
moeten. Daar komt het blijkbaar op neer.

Op het eerste gezicht ben ik niets anders dan een gek meisje
dat zich als verpleegster heeft verkleed, maar er is een kans dat
ik een Duitse spionne ben. Ik zou de eerste niet zijn. En als ze
me daarvoor aanzien en het kunnen bewijzen, word ik doodgeschoten.

Ik spreek geen woord Duits, maar ja, een echte spionne zou
ook doen alsof ze de taal niet beheerste. Ik kan dus een spionne zijn, of een verpleegster die een beetje doorgedraaid is, of
helemaal geen verpleegster. Het probleem is dat ze het te druk
hebben om erachter te komen hoe het zit. Geen enkele jonge
vrouw kan gaan en staan waar en wanneer ze wil in oorlogstijd.
Zelfs verpleegsters zijn aan tijd en plaats gebonden; in hospitalen, in barakken, op treinen. Ik wist niet goed hoe je verpleegster in oorlogstijd moest zijn, waardoor ik was gesnapt en
uiteindelijk opgepakt werd.

Ik ben naar een legerkamp gebracht.

Ik heb geen idee waar ik ben. Ik word vastgehouden in een
tent, die niet veel van een gevangenis heeft, maar ze zijn dan
ook vast niet gewend aan vrouwelijke gevangenen. Enfin, er
staat altijd een wacht bij de ingang, dus ik kan niet ontsnappen. En al kon ik dat wel, wat zou ik dan moeten doen?

Ik ben hier maandag heengebracht. Ik ben door allerlei mensen ondervraagd; er zijn telegrammen verstuurd, er is rondgebeld, maar ze zijn er nog niet achter wat ik ben. Dat weet ik, maar ik geloof dat ze het er voorlopig bij laten zitten.

Ik heb hun mijn echte naam gegeven en gezegd dat ik geen spionne ben, dat mijn vader een belangrijke arts is, dat ze er de grootste ellende mee krijgen als ze me doodschieten. Meer heb ik niet verteld. Ik hoop dat het genoeg is.

Denken aan Tom is het ergste.

Ik heb al dagenlang niets meer van hem gevoeld en ik ben bang dat het misschien al te laat is.

Dat het al voorbij is.

23

Ik heb nu al drie dagen niets anders te doen dan denken.

Ik denk vooral aan Tom, maar ook Edgar blijft in mijn gedachten opkomen. Ik heb een glimp opgevangen van wat hij heeft doorgemaakt en het maakt me boos en verdrietig. Ik denk aan wat het met hem gedaan heeft, hoe hij en Tom zich gedwongen voelden te vechten. En wat het met ons heeft gedaan. Het heeft ons van elkaar verwijderd.

Toch heb ik nog steeds niets van Tom gevoeld. Geen dromen.

Eerst kon ik nog met de dienstdoende wacht bij de tent praten. Het was hem blijkbaar een raadsel waarom hij een jonge vrouw moest bewaken en hij maakte maar al te graag een praatje, al deed hij in het begin nog wat schuchter.

Toen ik tegen hem zei dat ik geen spionne was, nam hij daar genoegen mee en begon hij over zichzelf te vertellen, over de oorlog en alles wat maar in zijn hoofd opkwam.

Hij klopte tegen zijn been, dat niet meer goed functioneerde, en zei dat hij blij was dat hij niet meer aan het front zat, maar een hekel had aan de baan die hij nu had. Hij zei dat hij meerdere mannen had bewaakt die door de krijgsraad veroordeeld waren, dat hij vorige week nog een soldaat had bewaakt die voor het vuurpeloton moest verschijnen.

Eerst geloofde ik hem niet. Ik kon niet geloven dat we onze

eigen jongens doodschoten, maar hij zei dat de soldaat tijdens een aanval gevlucht was. Deserteurs kregen de doodstraf.

Toen moet het iemand zijn opgevallen dat hij binnen de ingang van de tent stond en niet erbuiten, want hij werd vervangen door niet één, maar twee norse soldaten die geen woord tegen me zeiden, hoe ik ook probeerde hen aan de praat te krijgen.

Sindsdien heb ik met niemand meer een woord gewisseld.

22

Voor mijn vriendelijke bewaker werd vervangen, vroeg ik hem nog naar de Somme.

Hij had geruchten gehoord over de strijd daar, maar zelf wist hij er weinig van. Hij had de afgelopen zomer in de loopgraven doorgebracht.

'Waar?' vroeg ik.

'Een plaats die Neuve Chapelle heet.'

'Ben je daar gewond geraakt?' vroeg ik.

Hij schudde zijn hoofd. 'Nee,' zei hij, met een snel, kort lachje. 'Ik was een echte held in de loopgraven. Neuve Chapelle bleek een verschrikkelijk fiasco te worden, maar ik was de held. Ik heb aan vijf invallen in het vijandig kamp meegedaan. Heb er niks aan overgehouden. Nog geen schrammetje.'

Hij vertelde me over die verrassingsaanvallen. Vier, vijf man en een officier kropen dan tot de tanden toe gewapend 's nachts door de prikkeldraadversperringen. Soms moesten ze de vijandelijke linies verkennen, soms kregen ze de opdracht Duitsers te vermoorden.

Ze tijgerden door de modder, kropen om granaattrechters heen, tot aan de Duitse prikkeldraadversperringen, moesten er heelhuids doorheen zien te komen, bevroren als er vlakbij een lichtflits omhoogschoot, kropen verder als het weer donker was.

'De eerste keer dat ik ging...' zei hij en hij keek er op zo'n manier bij dat ik wist wat hij bedoelde. Hij was zo doodsbang geweest dat hij er bijna echt in was gebleven. 'Maar ik ben nog een keer gegaan, en nog eens, met mijn stok...'

'Je stok?'

'Jazeker,' zei hij monter. 'We hebben heel wat wapens zelf gemaakt. In de loopgraven hoor je bajonetten te gebruiken, maar daar heb je bij een nachtelijke aanval niets aan. Daarom kuntselen we van alles en nog wat. Bijvoorbeeld een soort politieknuppel, maar dan met ijzeren spijkers erin om u tegen te zeggen. Sommige makkers van me gebruiken liever een goed groot mes. Is handzamer als je een loopgraaf binnenvalt.'

Ik zei niets en hij veranderde van onderwerp.

'Maar zo heb ik dat aan mijn been niet opgelopen. Dat was een ongeluk. Er werd een nieuwe granaat gedemonstreerd. Eerst hadden we steeds onze eigen bommen gemaakt. We propten dan stroopblikjes vol met spijkers of andere troep. En de springstof. Voor de explosie, snap je? Niet erg betrouwbaar. Toen kwamen ze met de nieuwe scherfhandgranaat aanzetten. Een ijzeren huls geladen met kleine, scherpere metalen deeltjes. Gaat er zo'n korporaal voordoen hoe het werkt. Moet ie 'm dus over een berg knolrapen mikken, maar hij richt niet goed en het ding komt veel te dichtbij neer. We duiken allemaal als gekken naar de grond, bang dat we d'r geweest zijn. Horen we een godsgruwelijk luide knal en al die rapen vliegen in het rond. Iedereen brult van het lachen en komt weer overeind. Wil ik ook, maar het gaat niet. Een granaatscherf. En dat was dan het einde van mijn tijd aan het front.'

Hij lachte.

Later stelde ik me hem voor tijdens die overvallen, met een wapen in zijn hand. Ik nam aan dat hij minstens één man gedood had. Misschien ook wel meer. Hij was een vriendelijke man, heel gewoon eigenlijk, zelfs goedhartig, maar hij had kennelijk geen last van wat hij gedaan had.

En bij de Duitse loopgraven moest hij Duitsers tegen het lijf zijn gelopen die er omgekeerd ook geen moeite mee hadden hem te doden als ze de kans kregen. Ik vroeg me af of de Engelsen en Duitsers zelf wisten waarom ze elkaar moesten vermoorden.

21

Iedere avond als ik ging slapen in de tent die mijn gevangenis was, hoopte ik iets op te vangen van Thomas. Het leek alsof hij bij me wegbleef, maar nu is hij eindelijk terug.

Zonder iemand om mee te praten, zonder iemand in de buurt, heb ik in geen dagen een voorspelling gehad, zelfs niets gevoeld wat leek op de steek die Jack genoemd had. Al heb ik er een hekel aan en ben ik er bang voor, ik voelde me verloren toen het opeens wegbleef.

Maar vannacht heb ik gedroomd.

Ik zag Tom. Hij had zijn rug naar me toe, liep van me weg. Hij was ergens in de provincie, in een glooiend tarweveld van een prachtig heuvellandschap. In de verte aan de horizon was een weelderig groen bos in volle zomerpracht, met bomen vol blad.

Ik kon alleen maar toekijken; ik voelde me een toeschouwer die niet in staat was een rol te spelen in de droom.

Tom stak zijn rechterarm zijwaarts uit en ik zag een vogel op zijn arm. Eerst dacht ik dat het een roofvogel was; hij hield het dier vast als een valkenier. Maar toen hij voorzichtig zijn arm hief en de vogel opvloog, zag ik dat het onmiskenbaar de raaf was.

De raaf klapwiekte loom door de lucht en zwenkte, kwam met een wijde boog terug naar waar ik stond, alsof hij me alleen maar wilde laten weten dat hij er was. De raaf vloog langs en ik hoorde hem achter me wegvliegen. Hij moet zich weer hebben omgedraaid, want opeens was hij weer op de voorgrond.

Hij vloog langs mij heen, daarna langs Thomas en zette koers naar het bos. De tarwe verschrompelde en ging dood zodra zijn gevleugelde schaduw eroverheen gleed. Toen de raaf opwaarts langs de hellingen vloog, verspreidde het verderf zich overal en de heuvel werd een moeras van zompende modder, doorgroefd met granaattrechters en bezaaid met prikkeldraadversperringen.

De vogel kwam bij het prachtige bos, dat voor mijn ogen veranderde in een enorm gebied van versplinterde boomstammen en stronken. Het waren de vreemde staken die ik al eerder had gezien en niet begrepen had. Nu wist ik wat het waren; het bos was verwoest. Vernietigd door dagenlange beschietingen.

Ook dit was een nachtmerrie, maar toch vatte ik er moed door. Ik ben inmiddels wel gewend aan al het gruwelijks en de droom leerde me iets wat ik weten moest.

Tom leeft nog, want ik heb hem vannacht in mijn slaap gezien. In mijn zintuiglijke waarneming was hij een levend wezen.

Er is nog tijd.

20

Er is nog tijd.

Maar de vreselijke werkelijkheid is intussen dat ik gevangen zit.

In de val. Twee soldaten op wacht buiten de tent.

Ik moest zien te ontsnappen. Ik keek naar de achterkant van de tent. Het was tenslotte maar een tent. Ze zouden me vast en zeker al snel naar een echte gevangenis ergens anders verhuizen en dan was er geen uitweg meer. Ik besloot tot de schemering te wachten en dan een poging te wagen.

De dag sleepte zich langzaam, heel langzaam voort, maar eindelijk begon het daglicht te wijken. Door de flappen van de tent kon ik zien dat er nu nog maar één wachtpost stond. Ze hadden kennelijk bedacht dat twee een beetje veel van het goede was voor één enkel meisje.

Ik sloeg de wacht heel lang gade, voor zover ik hem kon zien. Hij bleef op zijn post, want de achterkant van zijn rechterbeen en de rechterkant van zijn rug bewogen niet, en ik bleef meer dan een halfuur naar hem kijken.

Zoals gewoonlijk kon ik de geluiden van het kamp buiten horen. Mannen die bevelen riepen, voertuigen die langs bromden, geschreeuw, soms gelach.

Ik keek nog één keer naar de wacht en sloop naar de achterkant van de tent. Ik deed het heel langzaam. Ik keek op mijn horloge en dwong mezelf er tien minuten over te doen. Ik ging op de grond liggen, haalde diep adem om kalm te worden en loerde onder het tentdoek door.

Ik zag niets anders dan gras en tentdoeken. Er waren andere tenten in de buurt. Misschien kon ik mezelf daartussen verbergen als ik hier weg wist te komen.

Moeizaam kronkelend wrong ik me onder het tentdoek door. Ik was halverwege toen ik besefte dat de haringen te dicht bij elkaar stonden. Ik zat klem. Met alle kracht die ik in me had drukte ik met mijn schouder en wurmde onder het canvas door.

'Dacht je dat ik achterlijk was?'

Ik rolde me om en keek recht in het gezicht van mijn bewaker.

De rest van de nacht lag ik op mijn brits in de tent naar het tentdoek te staren terwijl de tranen over mijn wangen stroomden. In de verte kon ik het gebulder van kanonnen horen.

Steeds weer riep ik in mezelf zachtjes Toms naam en tegen beter weten in hoopte ik vurig dat hij me op de een of andere manier kon horen.

19

Ik heb de tent inmiddels ver achter me gelaten.

Vanochtend heel vroeg werd ik wakker door wat ik dacht dat gerommel van onweer was. Toen hoorde ik buiten stemmen mompelen. Ik ving flarden van een discussie op.

'...overbrengen... Etaples.'

Ik hoorde het antwoord niet, maar het klonk humeurig en ik besefte toen dat mijn kans op ontsnapping verkeken was.

Buiten ging de woordenwisseling nog even door.

'...goed dan. Wacht hier...'

Toen stilte, gevolgd door het geluid van wegstervende voet-stappen.

Een seconde later werd de flap van de tent opengetrokken en een grote soldaat dook door de lage ingang naar binnen.

Ik stond op om mijn lot onder ogen te zien, en toen, terwijl hij zijn hoofd hief, zag ik wie het was. Mijn hart maakte een sprongetje.

Jack.

Voor ik iets kon zeggen legde hij zijn vinger tegen zijn lippen en keek me zo veelbetekenend aan dat ik wist dat hij hier hele-maal niet hoorde te zijn.

'Wil je hier weg of niet?' fluisterde hij.

Ik knikte stom.

'Sla dit om je heen,' zei hij.

Met een zwaai deed hij zijn zware overjas af en gaf hem aan mij. 'We mogen geen tijd verliezen. Mijn motor staat buiten.'

'Maar hoe...?' stamelde ik, verward, nog niet uitgeslapen.

'Niet nu!'

Het was nog steeds vroeg toen we ons hoofd buiten de tent waagden. Er was niemand te bekennen in het kamp. De bewaker was verdwenen, al begreep ik niet waar hij naartoe was gegaan.

En daar stond Jacks motorfiets, waarvan de motor het enige warme was in de dauw van de koude zomerochtend. Condensatie druppelde uit de uitlaat in het natte gras. Nooit had iets er mooier uitgezien in mijn ogen. Ik knoopte de grote zware jas dicht. Ik zette de enorme kraag op om mijn haar en hoofd te verbergen. Ik kon amper wat zien en hoopte dat omgekeerd niemand mij zou zien in mijn verpakking.

'Hou je goed vast,' zei Jack toen we opstapten. Weer zat ik als een amazone achterop toen we brullend wegreden, zo snel het kamp uit dat ik weinig zag van waar ik gevangen was gehouden.

Nu zijn we ergens op het Franse platteland. Jack heeft me verteld dat het kamp even buiten Bethune lag. We reden door tot een dorp aan de hoofdweg dat Dieval heet, waar Jack afsloeg naar landweggetjes die eigenlijk karrenpaden waren. Hij zei dat het te gevaarlijk was om op de hoofdwegen te blijven.

Ik vroeg me af of hij zelf wel wist waar hij heen ging, maar hij leek de streek als zijn broekzak te kennen, zonder een landkaart nodig te hebben.

Toen ik daarnaar vroeg, moest hij lachen.

'Dat is mijn werk!'

Hij rijdt al maanden door deze streek van Frankrijk, van hot naar her en weer terug, ontwijkt problemen en ontdekt de beste routes. Voor het eerst in weken voelde ik me opeens veilig.

18

We zetten koers naar het zuiden van Bethune, diep het binnenland in. We vonden een kleine, stenen hooischuur achter in een bos en rustten daar uit.

Eindelijk had ik de kans Jack alle vragen te stellen die me door mijn hoofd gingen. Hij vond het blijkbaar wel vermakelijk en ik had het gevoel dat hij anders was dan de laatste keer dat we elkaar hadden gesproken.

Onder het praten zaten we op een voederbak onder de overkapping van de schuur. We voelden ons veilig; er was nergens een mens te bekennen. Voor ons lag een prachtig landschap. De dag was mistig begonnen, met zo'n echte zomerochtendnevel, die omgeslagen was in een motregentje.

'Mooi, hè?' zei Jack. 'Doet me een beetje aan thuis denken.'

'Waar is dat?' vroeg ik.

'In Hereford. Ik ben opgegroeid op een boerderij. Daar regent het 's zomers ook.'

Hij glimlachte. Toen de regen afnam begonnen in de boomtoppen boven ons hoofd houtduiven naar elkaar te roepen, maar er was verder geen enkel ander geluid dan dat van de druipende boombladeren.

'De velden, de bossen, de heuvels. Maar besef wel: als we op mijn motorfiets stappen en dertig kilometer die kant uit rijden...'

'Ja, wat dan?' vroeg ik.

'Ze zeggen dat er op aarde nooit iets zal zijn wat dichter bij de hel komt.'

Hij zweeg even.

Ik dacht aan Tom. Aan Edgar.

'Hoe is het daar?'

Hij schudde zijn hoofd. Net zo had de korporaal uit Wales zijn hoofd geschud toen hij het over de Somme had.

'We hebben het vernietigd,' zei hij. 'Dit alles. Alles wat je hier ziet is daar verdwenen. Er zijn bijna geen bomen meer over, geen gras, geen gebouwen, geen vogels. Geen andere schepsels dan ratten en luizen.'

Hij praatte niet over de mannen die stierven, en ik kon er ook niet toe komen over hen te beginnen. Ik wist niet waarom, maar het leek alsof het verwoeste landschap hem meer deed dan de gesneuvelden.

'Modder en prikkeldraad. Modder, prikkeldraad en gaten in de grond. Als we lang genoeg blijven graven, komen we misschien inderdaad bij de hel uit.'

'Maar als de oorlog voorbij is, groeit alles weer aan,' zei ik.

'Als de oorlog voorbij is?' zei hij en weer schudde hij zijn hoofd. 'Jij hebt het niet gezien. Niets kan daar ooit nog groeien. Niets.'

Toen zwegen we en ik dacht dat ik hem van streek had gemaakt. Ik veranderde van onderwerp.

'Hoe kwam je in Bethune terecht?' vroeg ik. 'De kans dat je me zou vinden...'

'...was wel heel klein,' zei hij. 'Maar het was dan ook geen toeval. Ik ben speciaal voor jou gekomen.'

Eerst was ik verbaasd, maar ik had het kunnen weten. Hij had zijn plan goed doordacht.

'Je bent het gesprek van de dag in Boulogne,' zei hij grimmig. 'Zeg maar gerust een beroemdheid. Er wordt beweerd dat je gek bent geworden vanwege je man. Anderen menen dat je een Duitse spionne bent. Ik heb zelfs het verhaal gehoord dat je een Russische prinses zou zijn, al mag God weten wat je volgens die mensen hier dan komt doen!'

Een Russische prinses. Met een wee gevoel in mijn maag dacht ik aan moeder. Waar kon haar kleine Sasha nu zijn?

'Kijk maar niet zo bezorgd,' zei hij. 'Je zit hier nu wel even veilig. Hoe meer onzin ze over je verkondigen, hoe moeilijker het zal zijn om achter de waarheid te komen. En alleen jij en ik kennen de waarheid, hè?'

Ik dacht aan Millie, maar zelfs tegen haar had ik gelogen.

'Ja,' zei ik, 'maar ik begrijp nog steeds niet...'

'...hoe ik je gevonden heb?' vroeg hij, maar dat was mijn vraag niet. Mijn vraag was: waarom?

'Toen ik die kletspraat in Boulogne hoorde wist ik meteen dat je tot over je oren in de penarie zat. Het was niet moeilijk om erachter te komen waar je heen was, zodat ik een ritje naar Bethune heb versierd. Geruild met een andere koerier.

Gisteren heb ik het kamp in de gaten gehouden, maar ik zou nooit geweten hebben dat je daar was als je niet had geprobeerd te vluchten via de achterkant van de tent.'

Ik voelde me opgelaten toen ik eraan terugdacht, maar Jack haalde zijn schouders op.

'Je hebt in ieder geval een poging gewaagd. Je bent dapper voor tien, dat staat vast.'

'Maar hoe kreeg je de wacht zover dat hij wegging?'

'Dat was makkelijk. Hij zal er wel last mee krijgen, maar ik denk niet dat ze veel moeite zullen doen je te zoeken. Ik ben naar hem toe gegaan met het verhaal dat ik je naar een gevangenenkamp moest overbrengen. Hij keek niet overtuigd, maar ik hield vol. Het is verbluffend wat mensen geloven zolang je het zelf gelooft. Ik denk dat hij in verwarring was omdat niemand eerder een zuster heeft hoeven te bewaken!

Ik had een verzegelde envelop bij me. Zwaaide ermee, zei dat het mijn orders waren, maar als hij ze wilde controleren moest hij ermee naar de commandant.

Dus gaf ik hem de envelop en hij vertrok. Ik heb zelfs aangeboden op je te letten terwijl hij weg was. Hij bedankte me er nog voor!'

Jack grijnsde en ik lachte.

Boven ons hoofd was geritsel in de boomtoppen, maar het waren maar vogels die door de schaduwen en het licht vlogen. Door de laatste slierten mist zagen we een bleke zon doorbreken in het veld voor ons.

Ik keek omlaag en zag op nog geen zeven meter afstand een raaf, die over de grond hipte. Hij bleef stil zitten en kraste.

Ik slaakte een gil en viel flauw.

17

Toen ik wakker werd was het donker. Aardedonker. Onder me voelde ik stro en door de manier waarop de geluiden om me heen gedempt werden, wist ik dat ik in de hooischuur was.

'Ben je wakker?'

Het was Jack. Hij was ergens verderop in de duisternis. Ik kon de benzine van de motorfiets ruiken, de droogte van het hooi, verder niets.

De rest van wat er gebeurd was kwam langzaam terug. Ik herinnerde me dat ik bij het zien van de raaf was flauwgevallen.

Ik kwam bij bewustzijn en zakte weer weg, sliep, werd wakker, droomde, werd weer wakker – in zo'n staat van verwarring dat ik niet kon bepalen wat echt was en wat niet.

'Je bent er slecht aan toe,' zei Jack. 'Het kwam door de raaf, hè?'

'Ik ben gewoon moe,' zei ik. 'En ik heb honger.'

Maar hij had gelijk, het kwam door de raaf. Een doodgewone vogel, maar de schok hem te zien had iets met me gedaan.

Zo bracht ik de halve dag door in een zinsbegoocheling van angst en vrees.

Ik zag dingen.

Ik wil niet meer denken aan de dingen die ik zag, maar toen ik eindelijk weer echt bij zinnen was leek Jack het toch al te weten.

'Jij kunt ze ook voelen, hè?' vroeg hij.

'Wat?' zei ik, toen ik mijn stem terugvond. 'Wie?'

'De doden,' zei hij eenvoudig. 'Ze trekken soms aan me in mijn slaap.'

Ik knikte, maar het was donker en Jack kon me niet zien.

'Ik rammel van de honger,' zei ik.

'Ja natuurlijk,' zei hij. 'Toen je sliep ben ik weggegaan om een boerderij te zoeken, maar ik wilde je niet te lang alleen laten... Drink wat water, dan zullen we morgen aan eten zien te komen.'

Hij schuifelde in het donker naar me toe en ik hoorde hem een lucifer afstrijken. Bij het flakkerende vlammetje zag ik de schuur om ons heen, vol hoog opgestapeld hooi, en voor me Jacks gezicht, groezelig en diep doorgroefd met rimpels. Zijn bleekblauwe ogen leken levenloos.

'Vlug,' zei hij, met in de ene hand de waterfles en in de andere de lucifer. 'Voor het uitgaat.'

Ik nam het drinken dankbaar aan, maar de fles was bijna leeg.

'Morgen,' zei ik.

'Ja?'

'Dan moet ik Thomas zoeken.'

De lucifer ging uit en het donker slokte ons weer op.

'Nee,' zei Jack. Zijn stem klonk droog en zacht. Ik wist dat hij iets voor me verborgen hield.

Ik gaf geen antwoord, hoopte dat hij verder zou praten, maar dat deed hij niet.

'Wat bedoel je?' vroeg ik.

Opeens werd ik bang, zo alleen midden in de Franse nacht met een man die ik niet kende. Een man van wie de meeste mensen ook nog eens zeiden dat hij gek was.

'Ik zei nee.'

'Maar wat doen we hier dan? Was dat dan niet de reden waar-om je me hebt geholpen weg te komen?'

Weer stak hij een lucifer aan en hij bekeek mijn gezicht aandachtig. Ik keek afwerend terug, met stokkende adem.

'Ik heb je geholpen omdat ik niet wilde dat jou iets zou overkomen. Ik wil dat je teruggaat naar Engeland. Ik wil dat je veilig bent.'

'Maar Tom...'

'...is al dood.'

'Nee!' riep ik uit. 'Dat is niet waar.'

'Als je hebt gezien dat hij doodging, is hij al zo goed als dood. We kunnen nu eenmaal niets doen om de toekomst te veranderen. Begrijp je dat nog steeds niet?'

'Nee!' schreeuwde ik. 'Hij is niet dood!'

'Nog niet!' schreeuwde Jack terug. Hij vloekte toen de lucifer uitging.

In het donker begon ik te huilen.

'Je begrijpt het niet,' zei Jack. 'Waarom begrijp je het niet? De toekomst ligt vast! Anders zou alles wat jij en ik zien toch onzin zijn? Wat je gezien hebt gaat gebeuren en niets wat jij of ik doen kan dat veranderen.'

'Ik dacht dat je er anders over was gaan denken,' zei ik snikkend. 'Wat ik die avond zei. Dat jij en ik onze eigen rol hebben te vervullen. Ik dacht dat je me toen begreep. Ik dacht dat je me kwam helpen mijn rol te spelen. Ik kan hem niet zomaar laten sterven!'

Jack zweeg en ik luisterde naar mijn gehuil en haatte mezelf. Edgar had gelijk. Ik ben een zielig geval. Zwak.

'Alexandra,' zei Jack. 'Niet huilen. Ik wil je graag helpen. Dat weet je toch wel? Ik heb je uit Bethune weggehaald om je te helpen. Maar we kunnen niets doen...'

'Als hij je zoon was, zou je hem dan laten doodgaan?' Ik snik-te. 'Ik heb al een broer verloren. Ik kan niet zomaar aanzien dat het nog eens gebeurt. Als ik die vervloekte gave niet had, zou ik niet beter weten. Misschien was dat gemakkelijker geweest. Maar nu moet ik wel. Ik heb Tom gezien en ik moet proberen hem te redden. Ik zou graag zeggen dat ik het zonder jou kan, maar dat is niet zo. Dat weet ik ook wel. Je moet me helpen.'

Nog steeds zweeg Jack.

'Waarom heb je me tot nu toe wel geholpen?' vroeg ik. 'Waar-om heb je me bevrijd als je me niet wilt helpen Tom te redden?'

'Ik wil je helpen. Dat zei ik toch.'

'Omdat ik je aan iemand doe denken?' zei ik hatelijk. 'Is het daarom? Aan je dochter? Je vrouw?'

'Nee,' zei Jack. 'Ik ben niet getrouwd. Daar gaat het niet om.'

'Waarom dan wel?'

'Omdat, Alexandra, jij de enige mens bent die ik in deze oor-log heb ontmoet van wie ik het leven misschien kan verande-ren.'

'Dus je denkt wél dat je misschien een leven kunt verande-ren?'

Jack bleef stil.

Het bleef heel lang stil, maar uiteindelijk heb ik hem over-tuigd. Vraag me niet hoe. Ik weet dat Jack een man is die alle geloof en hoop lang geleden moest laten varen. Maar iets wat ik zei heeft kennelijk verschil gemaakt. In de stilte stak hij een derde lucifer aan en schuifelde naar me toe. Ik vond het niet prettig dat hij zo dichtbij kwam, maar dat kon ik niet zeggen. Het leek me niet verstandig hem weer kwaad te maken. Hij was zo dichtbij dat ik hem kon ruiken, zijn ongewassen huid en kleren. Zijn gezicht stond doodernstig.

Hij keek diep in mijn ogen en hij was zo vlak bij me dat ik de lucifer weerspiegeld zag in de zijne. Hij stak een bevende hand naar me uit en streelde mijn haar, heel even maar. Ik deed mijn ogen dicht en probeerde niet te huiveren.

Toen ik mijn ogen weer opendeed zat hij ver van me af, met gesloten ogen en gebogen hoofd. Hij zat er roerloos bij, alsof hij diep in slaap was en droomde.

De derde lucifer ging uit.

'Ik zal je helpen,' zei hij.

16

Jack slaapt, maar ik heb vanmiddag al zoveel geslapen dat ik nu niet moe ben.

Ik wil niet weer in slaap vallen, bang dat ik weer de gruwelen zal zien, en de doden. Maar ik kan niet verhinderen dat de gedachte eraan terugkomt. Tussen al het vreselijks dat ik zag, was ook weer een beeld van Tom.

Ik zag het wapen dat Tom zal doden en ik vloog mee met de kogel, tolde zoevend op hem af. Ik was zo dichtbij dat ik de geuren rook. Ik kon het buskruit van het patroon ruiken.

De kogel raakte hem, en ik volgde na een fractie van een seconde.

15

De laatste twee dagen leken een heel leven.

Er kan eigenlijk niet langer dan zesendertig uur verstreken zijn tussen ons vertrek uit de veilige hooischuur en de plek waar we nu zijn.

De plek waar we nu zijn.

Van wat ik kan zien in het dal onder me, kan dit maar één plek zijn.

De muil van de hel.

14

We gingen vroeg bij de schuur weg.

We waren allebei al wakker en hoorden een oorverdovend vogelkoor in het bos achter de schuur, maar behalve het uitbundige gezang was het een troosteloze ochtend met een laaghangend wolkendek. De motregen sloeg om in een regenbui die minstens een uur aanhield, maar toch vertrokken we, want we hadden honger.

'We zetten koers naar Doullens,' zei Jack. 'Daar is eten te krijgen.'

Even was ik bang dat Jack misschien weer van gedachte zou veranderen en me niet wilde helpen Tom te vinden, maar dat bleek niet nodig.

'Doullens is een tamelijk grote stad,' zei hij. 'Er zijn meerdere stations. En legerdepots. En voor zover ik weet zeker twee eerstehulpposten. Het stikt er van de mensen. Als de divisie van je broer daar geweest is, vinden we vast iemand die hen gezien heeft.'

We reden op de motorfiets door het natte Franse land. Het was een zware tocht. We kozen kleine weggetjes, waar weinig verkeer overheen kwam, maar toch draaiden de dunne banden van de motorfiets af en toe door in de modder en twee keer zaten we bijna vast.

Halverwege de ochtend gingen we de top van een lage heuvel

over en zagen we een lelijke kleine stad voor ons liggen. Jack zette de motorfiets stil op het punt waar ons pad op de hoofdweg naar Doullens uitkwam.

Hij leek de situatie te overwegen.

Hij keek naar mij en ik wist wat hij dacht. Zelfs vanaf deze afstand zag ik dat hij gelijk had gehad wat de stad betrof. Het was er druk, vol mensen, soldaten. Een bijenkorf. Ik keek neer op mijn kleren. Ik droeg mijn uniform, inmiddels doorweekt met regen en modder, met daaroverheen Jacks zware overjas. Ik zou direct de aandacht trekken.

'Je zult hier moeten blijven,' zei hij.

'Nee...' begon ik, maar ik wist dat hij gelijk had.

'Een kilometer of wat terug zijn we langs een klein bos gekomen,' zei hij. 'Daar moet je je maar schuilhouden.'

Ik vond het verschrikkelijk om zelfs maar een paar honderd meter terug te moeten keren, maar ik hield me voor dat het niet uitmaakte of we voor- of achteruit gingen zolang we nog niet gehoord hadden waar Tom was.

Jack bracht me terug naar het kleine bos.

'Blijf uit het zicht,' zei hij. 'Ik kom zo snel mogelijk terug.'

Ik wrong me tussen de bomen door tot ik meende uit het zicht te zijn en draaide me nog net op tijd om om Jack en zijn motorfiets te zien verdwijnen.

Ik ging in het bos zitten en begon bijna meteen van top tot teen te rillen. Het regende niet meer, maar ik was nat tot op het bot.

Boven me, in de doorweekte kruinen, scharrelden lawaaierige vogels. Ik keek op, bang voor wat ik zou zien. Alleen al de gedachte aan de raaf was genoeg om me weer in een vreselijk visioen te duwen van de vogel die door mijn verbeeldingskracht en dromen spookte.

Ik hoopte maar dat Jack niet lang weg zou blijven.

13

Het zal zo'n paar uur later zijn geweest dat Jack terugkwam. Ik hoorde het gebrom en daarna het geknetter van de motorfiets, maar ik wachtte tot ik er zeker van was dat hij het was voor ik naar de rand van de bomengroep ging en me vertoonde. Omdat ik al die tijd in de kou had gezeten, werkten mijn benen niet mee en ik was bang dat hij me niet zou zien voor ik tevoorschijn strompelde, maar hij had me al ontdekt.

'Geen gekke plaats,' zei hij.

'Is er nieuws?' vroeg ik.

Hij schudde zijn hoofd. 'Sorry. Niets.'

Ik voelde paniek opkomen en moest me uit alle macht beheersen.

'Dat zegt nog niets,' voegde hij eraan toe. 'We gaan verder naar Amiens. Als ze langs de Somme trekken, zijn ze waarschijnlijk doorgegaan naar Amiens. Daar zijn ze vast gezien. Een divisie op mars kun je moeilijk over het hoofd zien.'

'Waarom gaan we niet rechtstreeks naar de Somme?' vroeg ik.

Jack lachte, maar zweeg abrupt toen hij naar me keek.

'Als het zo makkelijk was...' zei hij. 'Hier komen we snel vooruit. Het lijkt wel langzaam, maar vergeleken bij het front... Daar komt niemand vooruit. Als er nog wegen zijn, zijn ze veranderd in modderpoelen. En het is er één mensenmassa. Vergeet dat niet. Hoe dichter we bij het front komen, hoe minder het zal lijken op deze streek. Vanochtend zijn we geen levende ziel tegengekomen, wel? Ik kan me daar nog wel bewegen, als koerier, maar jij...'

Ik begreep het.

'We zouden meteen worden aangehouden,' zei hij.

Ik knikte.

'Dus moeten we eerst precies weten waar hij zit.'

Ik kon wel huilen, maar Jack stelde me gerust: 'Maak je geen zorgen. We vinden hem wel.'

Ik wilde dat ik die overtuiging deelde.

'Ontbijt,' zei Jack, die een tas van zijn schouder slingerde. 'Of is het middageten?'

'Het avondmaal van gisteren, denk ik,' zei ik.

Het was een grote tas, maar tot mijn teleurstelling zat hij niet vol eten. Nadat een brood en een stuk zachte kaas tevoorschijn waren gekomen, bleek de rest kleding te zijn.

Een uniform.

'Voor wie is dat?' vroeg ik.

'Voor jou,' knikte Jack. 'Trek aan. Dan lijk je uit de verte op een soldaat. Bovendien is dat pak droog en jij niet.'

We gingen eten.

'Laatst zei je nog dat dit geen sprookje was. Dat ik mezelf niet als man kon verkleden en ermee wegkomen.'

'Ik heb wel meer gezegd,' zei hij en hij draaide zich om. 'Maar kwaad kan het ook niet. Kleed je om, dan gaan we naar Amiens.'

Ik schuifelde een stukje het bos in en trok mijn verpleeg-stersuniform uit. Toen ik de kleren oppakte die Jack meege-bracht had, zag ik met afschuw dat er gaten en bloedvlekken in het uniformjasje zaten. Ik vroeg me af waar hij ze vandaan had, maar eigenlijk wist ik het antwoord wel. Hij had gezegd dat er eerstehulpposten waren in Doullens. Ik zag het schouderembleem van een regiment op het jasje, maar ik herkende het niet. Het zei me niets.

Het uniform was me niet eens veel te groot. En toen, terwijl ik de broek omsloeg, kreeg ik een visioen en ik wist hoe de man gewond was geraakt. Een verwonding waaraan hij later was overleden.

Ik hulde me in de dode wereld van een soldaat en ik kon hem niet van me afschudden. Ik moest die kleren dragen als ik Tom wilde vinden. Ik keek naar mijn verpleegstersuniform op de natte grond tussen de bomen.

Ik pakte het op en liep ermee naar Jack.

'Wat moet ik hiermee doen?' vroeg ik.

'Laat maar achter,' zei hij. 'Kom, we moeten gaan. Door de hitte van de motorfiets zul je in ieder geval wat warmer worden.'

Het zat me dwars. Ik kon mijn uniform niet zomaar in de modder laten vallen. Ik vouwde het netjes op en maakte een stapeltje, met mijn schort met het rode kruis erbovenop. Ik legde het stapeltje onder een boom iets verder van de rand van het bosje en ging toen naar Jack terug.

'We gaan,' zei ik en nu ik een broek aanhad kon ik eindelijk gewoon met mijn benen schrijlings op de bagagedrager zitten.

We vertrokken.

Ik kneep mijn ogen dicht tegen de wind tijdens de rit.

Een paar kilometer verderop stelde ik me voor hoe het vuile, gestolen uniform dat ik als het mijne was gaan zien in een nat Frans bos lag. Toen herinnerde ik me opeens dat ik mijn Griekse boek ook op het stapeltje had gelegd. In de haast was ik het helemaal vergeten. Ik stelde me voor wat mensen zouden denken als ze op een dag een verpleegstersuniform en een Engels boek met Griekse mythen aan de rand van een Frans bos zouden vinden. Zouden ze ook maar iets van het ware verhaal erachter kunnen raden?

Het was te laat om terug te gaan en het boek te halen, en terwijl we verder reden bekroop me onwillekeurig het gevoel dat ik mijn mascotte kwijt was.

12

Terwijl ik hier zit te wachten werp ik af en toe een blik in het dal onder me. Mijn ogen worden groot als schoteltjes van wat ik daar zie. De mannen. Duizenden mannen. De kanonnen. Honderden en honderden kanonnen. De paarden. De tenten, de zware artilleriestukken, de veldkeukens, de ambulances. In een modderveld midden in Frankrijk.

Ik denk terug aan de laatste etappe op onze reis hierheen, door verwoeste dorpjes en glooiende open vlakten, naar dit gruwelijke, meer dan gruwelijke oord.

'Je ziet er niet bepaald uit als een soldaat,' zei Jack toen we afstapten om even te rusten.

'Waar lijkt het dan op?' vroeg ik.

'Nergens op,' zei hij. 'Je bent te mooi voor een man, zelfs onder al die modder. En te mager. Maar een meisje lijk je ook niet meer. Wie zou dat nog in je zien? En er zitten hier ook jonge jongens. Erg jong nog. Jongens die over hun leeftijd hebben gelogen zodat ze mee mochten.'

Ik haalde mijn schouders op.

'Het lijkt nergens naar,' benadrukte Jack. 'Je haar. Dat is het probleem.'

Ik had mijn haar opgestoken, maar ik besefte dat hij weer eens gelijk had. Ik had het al eens onhandig afgeknipt en het was nat en smerig, maar het was domweg te veel haar.

Jack rommelde in de tassen van zijn motorfiets en haalde een mes tevoorschijn. Een groot, scherp mes.

Hij hoefde niets te zeggen.

En ik zei ook niets.

Ik deed de zware overjas uit en legde hem over het zadel van de motor zodat hij niet nog viezer zou worden. Toen ging ik voor Jack staan en boog mijn hoofd.

Jack hief het mes en pakte met zijn andere hand een haarlok. Hij sneed en ik zag hoe mijn haar maar al te makkelijk in plukken om mijn voeten viel. Ik moest eraan denken dat moeder mijn haar knipte toen ik nog klein was en ik glimlachte bitter bij mezelf om deze heel andere omstandigheden. En behalve ikzelf wist niemand dat een paar tranen zich bij mijn haar voegden in de Franse modder.

'Ik ben geen kapper,' zei Jack na een tijdje. Voor mijn gevoel duurde het heel lang. De lange lokken waren zo weg, maar het werd lastiger toen hij dichter bij mijn schedel moest snijden en hij zaagde het haar eraf met korte rukbewegingen.

Eindelijk was het voorbij. Ik voelde aan mijn hoofd en kon niet geloven dat het van mij was. Mijn lange, soepel vallende haar had plaatsgemaakt voor korte, onbeholpen stekels, een paar centimeter lang, meer niet.

'Het is maar goed dat we geen spiegel hebben,' zei ik.

Jack opende zijn mond, deed hem toen weer dicht.

Hij keek me treurig aan.

'Sorry,' zei hij. 'Je bent nog steeds te mooi voor een soldaat.'

Ik wendde me af, opgelaten. Ik wilde maar dat hij zulke dingen niet zei. Toen ik me weer omdraaide stond Jack op de startpedalen van de motor te trappen. Brullend kwam het ding tot leven en hij hield me de jas weer voor.

'De benzine begint op te raken,' zei hij. 'We moeten er zuinig mee zijn.'

Om ons heen zag het er nu heel anders uit. Toen we om Doullens heen reden, waren we in een hooggelegen streek gekomen, met glooiingen die uit een wirwar van weilanden bestonden, open en vrijwel zonder bomen. Somber. Zelfs de modder die aan onze wielen en laarzen koekte was anders: een grijze klevende troep waar we doorheen zwoegden, die ons traag maakte.

Jack had besloten dat we het erop moesten wagen de hoofdweg naar Amiens te nemen.

'Stop je hoofd weg in die jas als we iemand tegenkomen.'

Maar we zagen niemand. Het was alsof de wereld was vergaan en iedereen dood was, op Jack en mij na.

Op de hoofdweg kwamen we snel vooruit, maar toen we Amiens naderden bleef Jack opnieuw uit de buurt van de stad zelf.

'Waar gaan we heen?' schreeuwde ik over zijn schouder.

Hij schreeuwde iets terug, maar door het gebrul van de motor kon ik hem niet verstaan. Het maakte niet uit. Ik moest op hem vertrouwen, wat hij ook deed. Ik had geen keus.

Eindelijk kwamen er mensen in zicht. Ik klemde me wanhopig aan zijn rug vast en verborg mijn gezicht toen we een colonne soldaten passeerden die de stad binnen marcheerde. Hier en daar reden legertrucks en ik zag ook een vrachtwagen met een rood kruis erop.

De motorfiets hield halt.

Voor ons lag een rivier. Enorm was hij niet, maar toch breed genoeg, met een rustige stroming. Hij werd overspannen door een stenen brug.

'Dat is de Somme,' zei Jack. 'Op de andere oever ligt Longueau. Als ze met de trein uit Bethune zijn gekomen, moet dit hun bestemming zijn geweest.'

We staken over en kwamen bij Longueau, waar we het station vonden, zo'n beetje het enige wat de plaats te bieden had. We parkeerden de motorfiets bij de muur van het station. Het was al laat in de middag en door de donkere lucht was er weinig licht, al was het juli.

'Zo,' zei Jack. 'Ik doe het woord wel. Blijf jij bij de motor. Als iemand je iets vraagt, ben je een nieuwe koerier die van mij het klappen van de zweep moet leren.'

'Zou iemand daar intrappen?'

Jack aarzelde. 'Nee,' gaf hij toe, terwijl hij me bekeek. 'Niet echt. Doe maar een schietgebedje dat er niemand in je buurt komt.'

Jack ging haastig de trappen van het station op. Onder het wachten probeerde ik heel achteloos te doen en ik draaide de wereld mijn rug toe als er iemand aankwam, onder het mom dat ik aan de motorfiets prutste zoals ik Jack had zien doen. Het leek me geen kwaad kunnen om er wat modder af te schrapen en ik was daar zo druk mee bezig dat ik Jack niet terug hoorde komen.

'Cardonette,' zei hij, heel rustig, maar ik kon merken dat hij er opgewonden van was. 'Ze zijn van hier naar Cardonette gemarcheerd. Vier dagen geleden.'

'Vier dagen?' riep ik uit.

'Niet zo hard,' zei Jack dringend. 'Het zijn honderden mannen die lopen. Wij hebben een motorfiets. We halen ze wel in.'

11

Cardonette bleek een stuk terug te liggen langs de weg die we gekomen waren – we waren er zelfs op een afstand van geen twee kilometer bij in de buurt geweest. Maar dat konden we toen niet weten.

Het was al avond toen we er aankwamen, en in de schemering voelde ik me minder opvallend. We durfden het aan om naar de kern van het dorp te rijden, waarbij we een enorm militair tentenkamp passeerden. Ik strekte mijn nek en tuurde ingespannen naar die soldatenmenigte om te zien of ik iets kon herkennen wat ons naar Tom zou leiden, maar Jack zei dat ik me kalm moest houden.

'Heb je enig idee hoeveel soldaten daar zitten? Hoeveel eenheden? Hoeveel bataljons? Als we een speld in een hooiberg zoeken, moeten we in ieder geval een idee hebben waar we moeten gaan kijken.'

Dus wachtte ik buiten terwijl Jack een kroegje binnen ging om inlichtingen in te winnen.

Hij was al snel terug.

'Zijn we hier goed?' vroeg ik.

'Nee, maar we komen er wel,' zei hij. 'Het 33ste is hier geweest, samen met de 19de brigade. Daar valt het bataljon van je broer onder.'

'Maar waar zijn ze nu dan?'

'Bij Daours, een stukje terug aan de Somme, vlak bij de plek waar de rivier samenstroomt met de Ancre.'

'Weet je wel zeker dat ze hier waren?'

'Oh ja,' zei Jack. 'Ze herinneren zich hen hier goed. De plaatselijke bevolking werd gedwongen hun huizen af te staan als bivak voor de soldaten. Daar waren ze niet blij mee. Ze hebben volop redenen om zich hen te herinneren.'

We kwamen dichter bij Tom, maar nog niet dicht genoeg.

'Wanneer waren ze hier?'

'Ze zijn dinsdag vertrokken, drie dagen geleden.'

'Dan moeten we opschieten,' zei ik.

'Nee,' zei Jack. 'Het wordt laat, we zijn moe. We zoeken hier een slaapplaats en gaan morgenochtend verder.'

'Nee!' zei ik.

'Alexandra...'

'Nee,' zei ik. 'We moeten nu gaan. Ik ben niet moe. Het is helemaal nog niet zo laat. En bovendien is het veel veiliger voor ons om bij nacht te reizen. Ik heb gelijk, dat weet je.'

En deze keer moest Jack het wel toegeven.

Zo trokken we verder, naar Daours.

10

We reden de nacht in.

Het was alsof de wereld gekrompen was tot alleen wij. Wij tweeën: Jack en ik. Of misschien ook wel wij drieën: Jack, ik en de motorfiets. Het zal wel door de vermoeidheid komen, of misschien word ik een beetje krankzinnig, dacht ik, toen we door het donker zwoegden. Maar zonder de motorfiets zou ik al even verloren zijn geweest als zonder Jack.

De koplamp scheen vaag voor ons uit, en dat zat Jack niet lekker – een lichtsignaal in het donker – maar we konden er weinig aan doen. De lamp verlichtte de weg voor ons uit net genoeg om kilometer na kilometer het smalle, met modder bedekte spoor onder onze wielen te tonen, terwijl ik luisterde naar het brommende gesputter van de motor die door de blubber ploegde.

Ik had overal pijn. Pijn aan mijn armen, die als lood voelden van het krampachtig vastklemmen om Jacks middel. Pijn aan mijn benen die al even stijf voelden, pijn van het zitten op die kleine ijzeren bagagedrager.

Het was heel laat toen we bij Daours kwamen, waar we het hele spel weer herhaalden: Jack die inlichtingen ging inwinnen in zijn uitstekende Frans, ik die aan de motorfiets prutste en iedereen negeerde die mijn kant op kwam.

Het nieuws was slecht.

'Ze zijn hier tot woensdagmiddag geweest,' zei Jack. 'Daarna zijn ze verder getrokken naar Buire.'

'Hoe ver is dat?' vroeg ik.

'Nog zo'n vijftien kilometer,' zei Jack.

Ik zette me schrap om hem te gaan overtuigen, maar het was niet nodig.

'Kom op,' zei hij. 'We zullen hem vinden. Dat weet ik zeker.'

'Bedoel je dat je het hebt gezien?' vroeg ik, maar Jack schudde zijn hoofd.

'Nee,' zei hij. 'Nee, maar dat denk ik.'

Ik had de neiging erbij te gaan liggen en dood te gaan. Ik was moe tot in mijn botten, we hadden ons proviand lang geleden al opgemaakt en het liefst had ik het helemaal opgegeven, maar ik kon het niet. Tom dreef me voort.

Weer stapten we op de motorfiets en langzaam kropen we Daours uit in de richting van Buire. Om ons heen werd de nacht steeds zwarter en in de duisternis voor ons uit zag ik lichtflitsen.

'Bliksem?' schreeuwde ik naar Jack over zijn schouder, maar hij schudde zijn hoofd, en ik begreep het.

Bombardementen. Ver voor ons uit werd zwaar gevochten, al was het geluid niet hoorbaar door het lawaai van onze motor.

We reden verder en grimmig klemde ik me steviger aan Jack vast. In de nacht, met de vermoeidheid in mijn hoofd, zag ik aan weerskanten van de motor raven langsflitsen. Ik schudde mijn hoofd om het beeld te verdrijven, maar ze verdwenen niet, en ik weet niet of ze er echt waren of niet. Ik deed mijn ogen dicht en probeerde alleen aan Tom te denken, maar wanneer het me al lukte hem voor me te zien, werd zijn plaats ingenomen door Edgar, die me uitlachte en een vuist vol zwarte veren voor mijn gezicht heen en weer zwaaide.

In het holst van de nacht kwamen we in Buire aan.

Jack zette de motor af en we keken naar het jammerlijke gehucht. Een kerkje was de aanblik nog waard, verder was het een treurnis van steegjes met af en toe een wat statiger huis.

Nu was ik dan toch terechtgekomen in drommen mensen. Ondanks het nachtelijke uur krioelde het er van de soldaten, maar ik was vooral verbijsterd door de paarden. Lange rijen cavalerie slingerden zich door het dorp, op paarden die soms langzaam en vermoeid voortsjokten en soms trots en fit stapten. Met grote ogen keek ik naar een rij Indiërs die te paard voorbijtrokken, een bijna ongelooflijke aanblik met hun puntbaarden en tulbanden.

Niemand keurde ons een blik waardig. Iedereen had het veel te druk met zichzelf en zijn eigen besognes, was op weg ergens heen, of was domweg te moe om acht te slaan op een koerier en zijn passagier midden in de nacht.

Weer won Jack inlichtingen in en weer was het nieuws een kwelling.

'Ze waren hier vanochtend nog,' zei hij. 'Even voor de middag zijn ze naar Méaulte getrokken.'

'Hoe ver?' wist ik er nog uit te persen.

'Ik ben er nog nooit geweest,' zei Jack. 'Een kleine tien kilometer. Het is geen moeilijke route, maar ik heb geen idee hoe lang we erover zullen doen.'

Ik kon niet geloven dat we zo dicht bij Tom in de buurt waren – dat we op één dag een afstand hadden afgelegd waar hij vier dagen marcheren voor nodig had gehad. Dat zei ik ook tegen Jack.

'Ze zijn hier twee dagen gebleven. Eén dag langer en we hadden ze nog getroffen.'

'En nu...?' vroeg ik.

'En nu zullen ze wel in Méaulte zijn. Daar zijn ze morgen ook nog. Het is bijna tien kilometer. Dat geeft ons de kans hier uit te rusten.'

Ik begon te protesteren, maar Jack legde me het zwijgen op.

'Ik kan niet meer, Alexandra. Vertrouw me nu maar. Morgen zijn ze heus nog wel in Méaulte. We kunnen bij zonsopgang vertrekken en dan zullen we Tom vinden. Maar eerst moeten we rust nemen.'

Ik schaam me ervoor, maar ik moet zeggen dat ik maar al te graag akkoord ging, ingegeven door een vermoeidheid die alle grenzen te buiten ging, zo uitgeput was ik geestelijk en lichamelijk.

Grote aantallen soldaten hielden zich op in tenten in een oude boomgaard aan de rand van het dorp. We bleven uit hun buurt, maar vonden niet ver daarvandaan een kleine hooischuur. Er was net genoeg ruimte voor ons twee.

Toen ik bijna in slaap viel, hoorde ik het geluid van beschietingen. Het was alsof de atmosfeer om ons heen veranderde, alsof de spanning steeg toen het doffe gedreun en gedonder van het spervuur aan het front hoorbaar werden.

Maar Jack merkte er helemaal niets van en lag al lang en breed naast me te snurken.

9

Met de nacht kwam de ravendroom terug.

De droom over Tom, de droom van de kogel, en weer moest ik als verlamd en tot in de kleinste details aanzien hoe het wapen in oneindige traagheid werd afgevuurd. Op een felle flits volgde een harde knal. De kogel vloog naar Tom en ravenveren wervelden als in een tornado om hem heen.

De kogel liet een vreemd prikkelend spoor van buskruit achter, een dunne rooksliert die onnatuurlijk dik werd en mijn gezichtsveld blokkeerde. Ik werd er zo door verblind dat ik net op het moment waarop de kogel Tom raakte mijn broer voorgoed uit het oog verloor.

Toen ik vanochtend wakker werd was de wereld gehuld in mist.

8

De mist was dik; zo dik dat ik nog geen twintig stappen voor me uit kon zien.

Ik werd als eerste wakker en schudde Jack aan zijn schouders. Ik had geen idee hoe vroeg het was, maar ik hoorde het soldatenkamp tot leven komen en ik wilde hier weg. Ik dacht aan Cassandra en aan het einde van haar reis. Haar verhaal eindigde in een poel van haar eigen bloed op de paleistrappen in Argos. Ik wist dat mijn einde heel anders zou zijn dan het hare, en ik had bijna het gevoel dat ik een dierbare was verloren toen ik besefte dat ze niet langer bij me was.

De mist leek in ieder geval een medeplichtige, die onze vorderingen verhulde toen we van de hooizolder klommen en de motorfiets het dorp uit duwden zonder hem te starten. Het had geen zin om onze problemen nog groter te maken.

We waren niet alleen toen we het dorp verlieten. Een bijna onafzienbare stroom gewonden en gevangenen kwam ons tegemoet. Jack vond dat we net zo goed de motor weer konden starten. Lopen duwen kwam vreemder over dan erop rijden. En hoe minder tijd mensen kregen om naar mij te kijken, hoe beter het was.

Af en toe had ik het idee dat iemand me te oplettend bekeek, maar niemand zei iets. Iedereen had te veel aan het hoofd om zich druk te maken over een eigenaardige jongen achter op de motorfiets van een koerier. Achteraf denk ik dat in werkelijkheid niemand acht op me sloeg. Van de zoveelste jonge jongen in uniform keken ze echt niet meer op.

Eindelijk kwamen we in Méaulte.

Er hing nog steeds een dikke mist, maar we zagen toch dat Méaulte het zoveelste kleurloze dorp was. Toen we erdoorheen reden vond ik de sfeer somber. Een doorsnee plaats waar gewoond en gewerkt werd, armoedig, met de kerk als enige bezienswaardigheid.

En daar overviel me de gedachte dat het allemaal voor niets was geweest.

Jack kwam hier niets te weten. De plaats lag nog geen anderhalve kilometer bij het front vandaan, maar de meeste dorpelingen waren gewoon gebleven. Ze ergerden zich aan de hinderlijke nabijheid van oorlog in hun wereld, aan de aanwezigheid van het leger.

'Twee weken geleden werd hier nog zwaar gevochten,' zei Jack. 'Door het grote offensief is het front meer naar het oosten geschoven. De plaatselijke bevolking heeft de schrik nog om het hart.'

Dat kon ik begrijpen, maar voor mij telde alleen dat ik Tom moest vinden.

'Je zei dat ze hier zouden zijn,' viel ik uit, al wist ik dat ik zonder hem verloren was geweest. Zonder hem zou ik niets bereikt hebben.

En nu lijkt het er veel op dat ik sowieso niets bereikt heb.

Ik zit hier maar te zitten en af te wachten, aan de rand van de dood.

7

Jack bleef overal rondvragen en kreeg uiteindelijk antwoord, maar het was niet waar ik op gehoopt had.

Hij kwam terug van een rij mannen die bij een ontluizings-installatie aan de rand van het dorp stonden. Ik zag meteen aan hem dat hij slecht nieuws had. Hij hoefde niets te zeggen.

'Ze zijn weg,' zei ik. 'Ze zijn vertrokken, hè?'

Hij knikte, een korte, kleine beweging, maar wel een die mij een enorme dreun gaf.

'Ja. Voor zonsopgang. Naar het front, maar niemand weet waar precies. Ze hebben zowat hun hele uitrusting hier gela-ten. Die zitten dus ergens aan het front. Kan overal zijn.'

'Maar waar dan?' riep ik uit.

'Wist ik het maar,' zei Jack. 'Ik heb geen idee. Niemand weet het.'

'Wat moeten we doen?' vroeg ik wanhopig. Ik kon niet toe-geven dat we verslagen waren. Dat idee kon ik niet verdragen. 'Iemand moet toch iets weten,' was alles wat ik zeggen kon.

'Het is één grote chaos, Alexandra. Het is een rotzooi. Over-al wordt gevochten. Het is een bloedbad geworden bij het bos van Mametz. Ik heb net met die jongens daar gepraat – zij heb-ben het overleefd. We hebben het daar nu onder controle, maar in de dorpen verderop wordt met man en macht gevoch-ten. Bazentin, het bos van Delville, het Hoogbos. Ze kunnen overal en nergens zijn.'

Daar was iets eigenaardigs aan en ik weet niet waarom ik de moeite nam het op te merken, maar als ik gezwegen had zou het spoor ter plekke zijn doodgelopen.

'Wat gek,' zei ik. 'Dat kan toch niet echt het Hoogbos heten?'

'Hoe bedoel je?' vroeg Jack.

'Dat is toch geen Franse naam?'

'Nee, zo noemt het Engelse leger het. Het heet in het Frans het Ravenbos.'

Het Ravenbos.

Ik werd ijskoud.

Jack zag het; ik moet lijkbleek geworden zijn.

'Wat is er?' zei hij. Hij greep mijn arm, dacht dat ik flauw zou vallen.

'Dat is het,' zei ik. Ik rilde. 'Daar gaat hij heen. Naar het Hoogbos.'

Nu ken ik de betekenis van de raaf, eindelijk kan ik die vraag uit mijn dromen beantwoorden.

Ik weet wat de raaf betekent. De dood.

De raaf is het Hoogbos.

Daar zal Tom sterven.

6

Nu wacht ik af, aan de rand van een oord dat het Dodendal heet. Dat is niet de echte naam, maar de bijnaam die de soldaten deze plek hebben gegeven. Sommige zeggen in plaats daarvan het Geluksdal, wat als grap bedoeld is, maar hoe iemand hier kan lachen is me een raadsel. Toch wordt er gelachen. Ik heb het gezien.

Jack wist dat ik gelijk had. Hij vertrouwt mijn visioenen zoals ik in die van hem geloof.

Zodra ik het verband met de raaf zag, was het duidelijk wat ons te doen stond. Daarom gingen we hierheen. Ik voelde me diep ellendig. Aan alle kanten waren we omringd door mannen, stromen troepen die naar het front marcheerden of in slordige rijen terug kwamen wankelen. Als Toms bataljon eenmaal aan het front ligt, zal ik hem niet meer kunnen bereiken. Mijn enige hoop is dat ik hem voor die tijd daar vandaan kan krijgen.

We verlieten Méaulte en reden over dichtgeslibde modderwegen door de ruïnes van andere dorpen; in één daarvan stond alleen de klokkentoren nog overeind. Ik ken alle namen niet, maar van een dorp dat Fricourt heette was niets meer over dan een enorme berg steen en gruis, alsof de gebouwen zomaar waren omgevallen en gestorven.

Verderop kwamen we door kleine bossen, waarvan sommige bomen nog heel waren en andere niets meer dan stukken stam. Jack legde uit dat het front hier had gelegen, tot twee weken geleden het grote offensief losbarstte. Er is hier zwaar gevochten en de bewijzen daarvan zijn met geen pen te beschrijven.

Aan beide kanten van de weg lagen lijken.

Jack reed erlangs en ik keek er verbijsterd naar tot we ze voorbij waren.

Opeens klonk er een vreemde, fluitende zoemtoon in de lucht en nog geen paar tellen later reden we bijna een zware onweersbui binnen. Het was geen natuurlijk onweer, maar een bombardement dat als een storm losbarstte.

Ontploffingen scheurden de grond voor ons open en Jack stuurde de motor als een bezetene de weg af.

'5.9-ponders!' schreeuwde hij. 'Die greppel in en platliggen!'

Hij hoefde het me niet te vertellen. We stortten ons van de motorfiets en drukten ons tegen de grond tot het spervuur ophield.

Het duurde niet lang.

'Gaat het?' vroeg Jack terwijl hij overeind kwam.

Ik was te geschokt om te kunnen antwoorden. Ik knikte, verstomd.

We gingen verder.

Toen gaf de motorfiets het op.

We hadden door zeeën van modder geploeterd. Het kalkachtige land om ons heen lag onder een dikke laag klei, die omgewoeld was tot een grijsbruine drek die zoog en kleefde.

De trouwe Triumph had zich diep in de blubber van een kuil vastgeploegd, en hoe Jack het ook probeerde, we konden hem niet voor- of achteruit krijgen.

We stapten af en probeerden hem los te duwen, terwijl Jack gas bleef geven, maar het enige wat ik klaarspeelde was uitglijden en languit in de modder vallen.

Er kwamen Schotten langs. Ze moesten om me lachen, maar het kon me niet schelen. Nu herkent geen mens me meer, dacht ik nog. Twee van de Schotten kwamen naar ons toe en sleurden met Jack de motor uit de modder, maar we waren nog maar een klein stukje verder gereden of de benzine was op.

Inmiddels was ik te uitgeput om zelfs nog te kunnen huilen, en we stonden naar de nutteloze motorfiets te staren die op zijn zijkant in de modder lag als een levenloos dier.

Met een vreemd onnatuurlijke snelheid trok de mist op; hij werd in luttele minuten verdreven door de zon en we konden zien dat het toch nog een warme dag zou worden.

We zagen dat we omringd waren door doden. Overal lagen lijken, veronachtzaamd, niet begraven, bijna achteloos. Ik wilde niet kijken, maar ik kon het niet helpen dat mijn aandacht werd getrokken door de enorme paardenlijken die tussen de mensenlichamen in lagen.

De oude frontlinie was een woestenij van puin, bezaaid met oude en nieuwe granaatkuilen, met geweren, kledingstukken en allerlei soldatenuitrusting die in het rond gestrooid waren en achtergelaten. Ik kon het niet verwerken. Zelfs het woord 'vernietiging' komt nog niet eens in de buurt van wat ik zag. Het was een verminkte, kapotgeschoten wereld, door mensen verwoest.

Meer gewonden passeerden ons. Stromen marcherende soldaten trokken voorbij, en weer zag ik de Indiase cavalerie te paard langsdraven.

En toen ik zo in wanhoop naar de motor stond te kijken, keek ik even op naar de rij mannen die langskwam. En ik zag Tom.

Jack zag me schrikken en voor ik iets kon roepen sloeg hij zijn hand voor mijn mond.

Die beweging was genoeg om Toms aandacht te trekken.

Ik herkende hem nauwelijks, en toen hij terugkeek met een blik alsof hij recht door me heen staarde, besefte ik dat hij mij helemaal niet herkende.

Jack deed een stap achteruit.

'Tom,' zei ik en het was niet meer dan een beweging van mijn lippen.

Toen zag hij het. Een uitdrukking van schrik en verwondering verspreidde zich over zijn gezicht. Ik zag wat hij zag. Een magere slungel van een jongen, die onder de modder zat, met ruw kortgeknipt haar. En die wel iets van zijn zusje had.

Hij kwam naar ons toe, keek nerveus om naar de rij mannen met wie hij verder moest marcheren, en toen naar Jack, en daarna naar mij.

Terwijl hij naderde zag ik aan hem dat hij eindelijk geloofde dat ik het echt was.

'Wat?'

Meer zei hij niet, en ik kon geen antwoord geven.

'Waarom?' zei hij. 'Wat doe jij hier?'

Weer keek hij naar zijn bataljon, maar niemand scheen zich er druk om te maken dat hij niet langer meeliep. Bovendien had het er alle schijn van dat ze hun bestemming hadden bereikt, want even voor ons uit in een lage glooiing van het land konden we het begin zien van een enorm kampement van mannen, artilleriestukken, uitrusting en paarden. In de wijde omtrek had het ene bataljon na het andere daar de tenten opgeslagen.

'Waarom, Sasha? Hoe ben je hier gekomen?'

Hij keek even naar Jack, toen weer naar mij.

'Ik kom je halen,' bracht ik eindelijk uit.

'Je komt... wat?' zei Tom, verbijsterd, met een donker gezicht.

'Ik heb gezien wat er met je gaat gebeuren,' zei ik. 'Tom, je moet me geloven, ik heb gezien wat er gaat gebeuren. Je gaat dood als je niet met me mee gaat. Je bent op weg naar het Hoogbos, hè?'

'Hoe weet je dat?' vroeg hij stuurs.

'Tom, geloof me toch! Je moet me geloven, niemand gelooft me, maar het is waar. Je zult sneuvelen.'

'O God,' zei hij. 'Kun je dan niet begrijpen...?' Hij stak zijn hand naar me uit. 'Ga weg, Sasha,' zei hij. 'Ga naar huis. Zorg dat die stomme kerel die je hier heeft gebracht je weer naar huis brengt. Ik geloof je niet. Ik geloof je niet omdat het niet waar is, en zelfs al geloofde ik je wél, dan ging ik nog niet. Dat kan ik niet. Ik hoor bij die mannen. Ik kan niet deserteren omdat mijn zusje dat wil, en als ik het deed, zou ik sowieso geëxecuteerd worden.'

Hij zweeg, draaide zich toen om en keek naar zijn bataljon, dat bijna uit het zicht verdween boven aan het dal.

'Ik moet gaan,' zei hij treurig. 'En jij moet naar huis en jezelf in veiligheid brengen.'

Hij ging.

Jack en ik begonnen te ruziën wat we moesten doen, maar uiteindelijk was het wel duidelijk. We moesten naar huis. Tom weigerde mee te gaan. En zelfs als hij gewild had, zou hij als deserteur worden doodgeschoten.

Al mijn hoop en mijn plannen lagen in duigen. Alles waar ik naartoe had gewerkt. Maar ik kon het er niet zomaar bij laten zitten.

Ik moest nog één keer met hem praten om behoorlijk afscheid te nemen. Daar zou ik het bij laten, zoals iedereen van me vroeg.

Ik wist dat ik niet het risico kon lopen bij daglicht in het dal te worden gezien en nu de mist was opgetrokken was het veel te gevaarlijk. We vonden een afgelegen hoekje boven aan het dal, een kleine kom bij stakerige bomen. In de verte voor ons lag het dal en daarachter was de vreselijke aanblik van het bos van Mametz. Alles bij elkaar een oord als een Bijbels schouwspel van dood en verderf.

Ik smeekte Jack het Dodendal in te gaan, Tom te zoeken en hem naar me toe te brengen zodat we konden praten.

Hij stemde toe, onwillig, maar hij deed het.

En nu zit ik hier op Tom te wachten, om afscheid te nemen.

Toen Jack wegging tilde hij zijn uniformjasje op en trok zijn revolver uit de holster op zijn heup.

'Hier,' zei hij. 'Voor het geval je narigheid krijgt. Knijp dan de trekker in. Gewoon knijpen, niet hard drukken. En hou je arm stil.'

Het was hem menens dat ik het ding moest gebruiken.

Ik wist waar hij bang voor was. Als iemand me hier ontdekte, uit het zicht van de manschappen, kon er van alles gebeuren.

Ik bleef in de kom zitten, gebruikte de zware overjas als deken en wachtte.

En nog steeds wacht ik tot Jack met Tom terugkomt.

Als hij niet komt, wat moet ik dan?

Stel dat er iets met hem gebeurt? Hoe kom ik hier dan weg? Zonder hem ben ik verloren, kan me van alles overkomen. En in dat geval eindigt mijn verhaal hier, met mij in deze kom, waar ik de revolver met elk uur dat verstrijkt steviger omklem.

Mijn verhaal zou hier, op dit moment, kunnen eindigen.

5

4

3

Ik ben blind.

Alles is blanco als bij een boek zonder woorden op de bladzijde.

2

Blind.

Heel langzaam kwam alles weer terug.

Het was een traag, pijnlijk herstel, een herinnering die met pijn en moeite kwam, als een zware bevalling.

Alles is één grote, bittere grap.

De uren verstreken, sleepten zich voort. Op het laatst hield ik het niet meer uit en kroop ik naar de rand van mijn kleine schuilplaats tussen de bomen en keek neer op het Dodendal. Daar hadden zich duizenden mannen verzameld en ik kon alleen maar naar het precieze aantal raden.

Het was een gigantische wachtruimte, de plek waar mannen, paarden en wapens bij elkaar waren gebracht om paraat te zijn voor een verschrikkelijke slag aan het front. Ik zag lange rijen mannen te paard onder me, weer die Indiase cavalerie. Bijna riepen ze een glimlachje bij me op. Ook werden er enorme hoeveelheden artilleriestukken aangesleept, en duizenden en duizenden mannen krioelden door elkaar in de openlucht, alsof het een oefening was en geen oorlog.

Radeloos tuurde ik ingespannen of ik een glimp kon opvangen van Tom, van Jack.

Meer dan eens overwoog ik zelf naar beneden te gaan, maar ik dwong mezelf terug te gaan naar mijn schuilplaats, waar ik naar de lucht lag te staren. Ik rammelde van de honger, maar wat deed dat ertoe? Ik had wel ergere dingen aan mijn hoofd dan honger.

Om de een of andere reden zat ik meer over Jack in dan over Tom. Nu ik wist dat deserteurs doodgeschoten werden, was ik bang dat ik Jack in gevaar had gebracht. Stel dat hij van desertie beschuldigd werd? Hij werd nu al twee dagen lang vermist.

Ik kon de gedachte niet verdragen dat het mijn schuld zou zijn als hij doodgeschoten werd, omdat ik al die tijd alleen maar aan Tom had gedacht.

En Tom. Eindelijk drong het tot me door onder welke misvatting ik had geleefd. Ik had alles weer goed willen maken door hem te redden, door ons gezin weer bijeen te brengen, voor zover dat nog mogelijk was, maar alles lag aan flarden.

Ik kon Tom hier niet weghalen, anders werd ook hij als deserteur doodgeschoten. Ik wist dat mannen alleen van het front weg mochten als ze zwaargewond waren.

Ik klemde de revolver zo stevig vast dat mijn vingers er pijn van deden.

Toen, zonder waarschuwing, was er geritsel achter me, en twee mannen kwamen over de rand van de kom.

Het was Tom, met achter hem Jack.

Ik liet de revolver op de jas vallen en sprong overeind om hem te begroeten en te omhelzen.

Zo bleven we heel lang staan.

Ik huilde, en hij huilde ook.

Jack deed een stap achteruit, ging toen op de grond zitten.

'Jullie hebben niet veel tijd,' was het enige wat hij zei. Hij leek zenuwachtig, verontrust.

Ik keek Tom aan, en eindelijk kon ik blij zijn, omdat hij zichtbaar blij was mij te zien.

'Ik kan maar niet geloven dat je echt hier bent,' zei hij lachend.

'Ik heb als verpleegster gewerkt. In Frankrijk,' zei ik. 'Maar dat deed ik alleen omdat ik jou zo probeerde te vinden.'

'Je bent ongelooflijk,' zei hij. 'Ik kan gewoon niet... maar je bent er, dus moet het wel waar zijn.'

'Hoe gaat het met je?' vroeg ik.

Tom schudde zijn hoofd.

'Goed,' zei hij. 'Het gaat goed met me. Zeg dat maar tegen moeder en vader.'

Ik moet hem vreemd aangekeken hebben.

'Wat is er?' vroeg hij. 'Is alles goed met ze?'

'Ik denk het wel,' zei ik. 'Ik weet het niet. Ik ben weggelopen, Tom. Ze weten niet waar ik ben. Ik heb het voor ons allemaal gedaan, maar als ik ooit nog thuiskom, zullen ze vast geen woord meer tegen me willen zeggen.'

'Natuurlijk wel,' zei Tom. 'En je moet naar huis. Het is heerlijk je te zien, Sasha, maar je moet hier weg. Het is levensgevaarlijk, om allerlei redenen. Ik heb met je vriend Jack gepraat. Hij heeft me verteld wat je gedaan hebt. Hij zegt dat hij je zal helpen weer thuis te komen.'

'Ja, Tom, maar...'

'Nee, Sasha. Nee. Ik ben alleen teruggekomen omdat Jack me bezworen heeft dat je weer verstandig kunt denken.'

'Je weet niet wat ik gezien heb,' zei ik boos.

'Alexandra, luister nou, hou toch op met die praatjes over toekomstvoorspellingen...'

'Waarom?' schreeuwde ik. 'Waarom geloof je me niet? Moeder en vader wilden me niet geloven. Edgar wilde me niet geloven. Ik had van jou iets anders verwacht, Tom. Je móét me geloven. Je móét.'

'Het valt niet zo gemakkelijk te begrijpen.'

'Iedereen denkt dat ik gek ben. Edgar is met die gedachte doodgegaan. Van jou kan ik dat niet nog eens verdragen.'

'Edgar dacht dat helemaal niet. Ik zweer het je,' zei Tom. 'Niemand van ons denkt dat je gek bent.'

'Hoe weet jij nou wat Edgar dacht?' vroeg ik bitter. 'De laatste keer dat we hem zagen was hij ellendig en stil. Jij was er niet eens bij. Toen ging hij de oorlog weer in en kwam om.'

'Nee, Sasha, ik heb hem wél gezien.'

Ik keek Tom strak aan, ongelovig.

'Hij heeft me in Manchester opgezocht. Hij zei dat hij expres een dag eerder uit Brighton was weggegaan om mij te spreken. We hebben gepraat zoals we nog nooit hadden gepraat. Daardoor leek alles weer goed tussen ons. Ik had het gevoel dat ik hem begreep, dat ik begreep wat hij wilde. Met de oorlog. Maar hij zei dat hij erdoor veranderd was. De oorlog was heel anders dan hij had gedacht. Hij zei dat hij doodsbang was. Hij vond dat ik moest doorzetten en arts moest worden. Dat dat veel zinvoller was dan vechten.'

Ik schudde mijn hoofd, deed moeite om Toms woorden te begrijpen.

'En hij had het ook over jou, heel lang. Ik weet dat hij moeilijk voor je was, maar hij was ook trots op je. Hij hield van je, Sasha. Echt waar.'

Ik zei niets, staarde Tom alleen maar aan.

'Het is de waarheid. Daarna ging hij de oorlog weer in en kwam hij om, zoals je al zei. Toen ik het hoorde, wilde ik zelf ook dood, en ik kon geen makkelijker manier bedenken dan hierheen te gaan. Begrijp je dat? En ik blijf hier tot mijn dood, of tot de oorlog voorbij is.'

Ik voelde me volkomen leeg. Ik herinnerde me hoe Tom van

gedachten was veranderd over de oorlog, nadat Edgar dood was. Edgar had hem gezegd door te gaan met zijn studie, maar wat had Tom die dag in de keuken gezegd? Moeder had hem gesmeekt alles op alles te zetten om arts te worden, en wat had hij gezegd?

Het heeft geen zin.

In plaats daarvan was hij hierheen gegaan om te vechten of te sterven. Ik zou mijn beide broers verliezen. Ik zag dat nu wel in.

Tom draaide zich om en wilde weggaan. Hij aarzelde, kwam toen weer naar me toe en sloeg zijn armen om me heen. Hij liet me los en bleef opeens aan de grond genageld staan toen hij naar mijn ogen keek. Hij zag iets.

'God, nee...'

Toen schudde hij zijn hoofd, maakte zich los en bleef zijn hoofd schudden alsof hij het beeld wilde verdrijven.

'Ik ben zo moe, ik kan niet... Ik moet nu gaan, Sasha, dat begrijp je toch, hè?'

En ik begreep het.

Ik begreep heel goed dat hij weg moest. Ik wist dat ik er niets tegen kon beginnen, dat hij niet zomaar alles in de steek kon laten.

Tenzij hij gewond was.

Ik denk dat het komt door de weken en dagen en uren van zien en pijn lijden en angst voelen en in Toms dood geloven.

Dat bracht me ertoe naar de overjas te lopen en de revolver op te pakken.

Het gebeurde even langzaam als in mijn dromen. Maar dit keer zag ik alles scherp.

Ik zag hoe Jack zijn hoofd omdraaide om te zien wat ik deed.

Hij begon overeind te komen, maar ik had de revolver al opgepakt en hem op Tom gericht.

Jack gaf een schreeuw.

'Nee!'

Tom draaide zich om.

Ik haalde de trekker over. Het was alsof het wapen in mijn
hand explodeerde en ik voelde een ruk aan mijn arm. Ik had op
Toms benen willen richten, zodat ik hem niet al te erg zou ver-
wonden, maar door de kracht van de terugslag schoot de revolver omhoog.

Even later lag Tom bloedend op de grond, terwijl de bomen
boven hem nog natrilden van het schot.

'Oh, Sasha,' zei Tom. 'Wat heb je gedaan?'

Bloed sijpelde tussen zijn vingers door toen hij zijn hand op
zijn borst drukte.

De tijd stond stil.

1

Er zijn weken voorbijgegaan en dat moment ligt nu achter me, maar wat blijft is het verschrikkelijke feit dat ik degene was die Tom neerschoot.

Om te beginnen is het zo dat Tom dood zou zijn gegaan als Jack er niet was geweest.

Toen we in de kuil stonden en de wrede werkelijkheid van mijn daad tot me doordrong, begon ik te beven van angst. Die laatste momenten zijn onverdraaglijk om aan terug te denken.

Bijna op hetzelfde ogenblik dat ik op Tom had geschoten gierde er een stroom granaten over ons heen. Ze kwamen dicht bij ons met een zachte plof op de grond neer, zonder harde explosie.

Ik begreep het niet, maar Jack wel.

'Gas,' zei hij. 'Grote God.'

Tom was nauwelijks nog bij bewustzijn.

Met de moed der wanhoop wisten we hem uit de kuil te krijgen en tegelijkertijd moet het gas me getroffen hebben. Ik liep achter Jack, die Tom in de richting van het kamp droeg.

Opeens vulden mijn ogen en longen zich met gas en ik was ervan overtuigd dat ik de volle laag had gekregen, maar in werkelijkheid kan het niet meer dan een vleug zijn geweest. Toch kostte het me moeite nog adem te halen. Ik wankelde en viel een eind achter Jack neer. Ergens vlakbij ontplofte weer een granaat, deze keer geen gas maar een explosief, en op dat moment verloor ik mijn gezichtsvermogen.

In de chaos van de gasaanval vond Jack een paar brancardiers en ze slaagden erin Tom naar het veldhospitaal te brengen. Ik strompelde blindelings rond, tot ik Jacks hand voelde. Hij was teruggekomen om me te helpen.

Ik hoorde stemmen.

'Arme knul, hij heeft er een vlaag van gehad,' zei iemand.

'We lappen hem wel op.'

Het duurde even voor ik doorhad dat ze het over mij hadden. Ik moet er zo afschuwelijk hebben uitgezien dat ze me echt voor een jongen aanzagen. Jack vertelde me later dat ik er echt vreselijk aan toe was. Mijn ogen traanden, mijn vel zag grauw. Ik zat van top tot teen onder de modder en hoestte grote klodders slijm en vocht op uit mijn longen.

Geen wonder dat ze onder dat alles geen meisje zagen.

We zijn er weggekomen.

Ik heb Tom niet meer teruggezien. Jack zegt dat hij regelrecht naar de gewondentrein was gebracht en zijn bliteykaartje kreeg met een goede kans dat hij het zou redden. Hij had een mooie, schone kogelwond, geen gruwelijke, gerafelde ellende van een granaatscherf.

Ik geloof echt dat het goed komt met hem. De visioenen zijn weggebleven.

Nu ik erbij stilsta, besef ik dat ik al heel lang helemaal geen voorspellingen meer heb gehad.

Ik kan weer zien, maar ik zie als alle gewone mensen, niets meer en niets minder.

Later werd ik op een ambulancetrein gezet, nog steeds niet in staat te zien, nog steeds met ademhalingsproblemen, en ik kwam in Rouen terecht.

En daar kwamen ze er eindelijk achter, toen een vriendelijke zuster mijn uniform los sneed, dat ik een meisje was.

Blindelings tastte ik voor me uit en greep de arm van de zuster.

'Wie je ook bent,' zei ik, 'help me alsjeblieft. Ik ben verpleegster. Ik zweer dat ik verpleegster ben.'

En de hemel zij dank hielpen ze me.

Ik werd in een kamertje apart gelegd waar ik verpleegd werd tot ik weer beter was, en langzaam, heel langzaam, keerde mijn gezichtsvermogen terug.

Ze zeiden dat het een wonder was, maar ik heb al die tijd geweten dat ik weer zou kunnen zien, en dat was ook zo.

Op een dag kreeg ik bezoek.

Ik zat in de tuin van het ziekenhuis. Het was eind augustus, een warme, hete dag. Toen ik opkeek zag ik een soldaat op me af komen.

Het duurde even eer ik besefte dat het Jack was.

Hij was anders. Hij was knapper. Schoner. Ik had hem nog nooit goed geschoren gezien en zijn haar zat ook netjes.

'Alexandra,' zei hij en hij omhelsde me.

Glimlachend duwde ik hem een klein stukje van me af.

'Kun je weer zien?'

'Ik moest jou toch zeker terug kunnen zien,' zei ik en hij lachte.

'Je haar groeit weer aan,' zei hij, op een toon alsof het een wereldwonder was. 'Ik heb iets voor je,' ging hij verder, en hij trok een pakje uit zijn zak. 'Ik ben teruggegaan om het te halen.'

Hij gaf me het in krantenpapier gewikkelde pakje en knikte me toe. Ik maakte het open. Het was juffrouw Garretts boek *Griekse mythen.*

Ik begon te lachen en de tranen stonden me in de ogen.

'Dank je wel, Jack,' zei ik blij. 'Dank je. Ik had beloofd dat ik er goed voor zou zorgen. Nu kan ik het aan haar terugsturen.'

'Het is wel een beetje toegetakeld,' zei hij. 'Een maand in de regen.'

Weer lachte ik en toen vertelde hij me alles wat er gebeurd was sinds de dag dat we Tom hadden gevonden.

Hij was aan een straf voor plichtsverzuim ontkomen, zei hij, omdat hij beweerd had dat zijn motorfiets het ergens op het verlaten platteland begeven had. Hij zei dat ze hem maar wat graag geloofden, want dat was altijd gemakkelijker dan proberen te bewijzen dat hij gedeserteerd was. Bovendien was hij uiteindelijk teruggekomen, zodat er van echt deserteren geen sprake kon zijn. En wat mijn ontvoering uit het kamp bij Bethune betrof: er was geen bewijs dat Jack degene was die dat had gedaan. Blijkbaar lieten ze de zaak verder rusten.

'Het is nu eenmaal oorlog,' zei Jack met een grijns. 'Ze hebben wel wat anders aan hun hoofd.'

We zaten urenlang in de zon te praten.

Ik vond het heerlijk om hem terug te zien, en hij zei tegen me dat hij veel aan mij gehad had. Hij zei dat hij door mij tot een nieuw soort begrip over zijn voorspellingen was gekomen. Misschien was dat wat je zag niet de énige toekomst, maar een mogelijke toekomst. Misschien kon je de dingen ombuigen tot een andere, afwijkende waarheid als je het maar hard genoeg probeerde.

Zoals ik het had geprobeerd, zei hij.

Hij zei dat hij nog wel visioenen had, maar dat ze hem nu minder zorgen baarden.

'En jij?' vroeg hij.

Ik vertelde hem dat ze verdwenen waren. Dat ze me verlaten hadden toen ik blind was geworden en tot nu toe niet teruggekomen waren.

Maar er zat me nog steeds een verschrikkelijke gedachte dwars.

Ik had een onheil gezien dat me ertoe had gebracht de lange reis af te leggen om Tom te redden, maar ikzelf was degene geweest die hem had neergeschoten. Misschien had niets van dit alles hoeven gebeuren als mijn reis op een mislukking was uitgelopen.

'Zou kunnen,' zei Jack. 'Alleen was je broer dan waarschijnlijk ook neergeschoten.'

'Hoe bedoel je?' vroeg ik.

'Een paar dagen nadat wij weggingen is zijn bataljon vanuit het Dodendal naar het Hoogbos getrokken. Het werd een fiasco. Ze zijn afgeslacht. Er is bijna geen mens levend teruggekomen.'

Ik zat een tijdje na te denken. Ik besefte dat ik eigenlijk nooit iets over mezelf had gezien. Natuurlijk had ik de ravendroom meerdere malen gehad, maar ik had niet één keer gezien dat ikzelf degene was die de trekker overhaalde.

En toen begon ik iets anders te begrijpen. Misschien moest het ook wel op deze manier gebeuren. Juist omdat dit zo buitengewoon is, denk ik dat de band in ons gezin er uiteindelijk door hersteld kan worden. Edgar is dood, maar ik denk met trots en blijdschap aan hem terug en ik weet dat hij omgekeerd ook zulke gevoelens voor mij koesterde.

Toen kwam er nog iets bij me op. Een vermoeden.

'Waarom stemde je erin toe me te helpen, Jack?' vroeg ik. 'Nadat je me uit Bethune had weggehaald, wilde je eerst alleen maar dat ik naar huis ging. Had je soms een visioen van wat er zou gaan gebeuren? Toen je me aanraakte?'

Jack zuchtte.

'Ja. Eigenlijk wel. Ik vond het ongelooflijk, maar ik heb ernaar gehandeld. Ik vroeg me af of er voor jou toch nog een andere oplossing zou zijn. Ik heb niets tegen je gezegd. Wat had ik ook moeten zeggen? Maar toen ik je de revolver zag richten... toen wilde ik je tegenhouden, maar het was al te laat.'

Na een tijdje liet Jack me alleen met mijn gedachten.

Voor zijn vertrek omhelsden we elkaar nog een keer.

'Zie je iets?' vroeg hij, terwijl hij me recht aankeek.

'Nee,' zei ik. Toen, bijna te zenuwachtig om het te vragen, voegde ik eraan toe: 'En jij?'

'Nee,' zei hij glimlachend. 'Alleen een lang, mooi leven. Wees gelukkig, Alexandra. Je hebt het verdiend.'

Ik zwaaide hem na vanaf mijn bankje in de tuin toen hij de hoek van het ziekenhuis omging en uit het zicht verdween.

En nu zit ik hier in mijn eentje, maar ik ben niet alleen.

Ik heb besloten hier te blijven.

Ik heb met de commandant van het hospitaal hier in Rouen gesproken en haar een deel van mijn verhaal verteld, maar niet alles. Ik heb haar verteld dat ik als VAD-verpleegster in de gevarenzone terecht was gekomen en dat ik niets anders wilde dan helpen voor de mannen te zorgen.

Ze vroeg niet door. Ze hebben elk paar handen nodig dat ze kunnen krijgen.

Op een dag ga ik weer naar huis, naar mijn ouders terug. Ik zal hen binnenkort schrijven. Ik weet niet hoe ze zullen reageren, maar voorlopig voel ik me gelukkig.

Vreemd genoeg moet ik hier vaak aan Clare denken. Ik weet niet waarom, maar misschien is het omdat ik hoop dat ik door hier de gewonden te helpen, toch nog dingen van vroeger goed kan maken.

Vader wilde niet dat ik verpleegster zou worden, maar dat is precies wat ik hier ben geworden, in een oorlog in Frankrijk. Misschien dacht hij net als Edgar dat ik het niet aan zou kunnen. Maar sinds een paar dagen weet ik dat ik het wél aankan. Ik ben helemaal naar het front gegaan om Tom te zoeken en het is me gelukt, al was ik nog zo bang.

Het is me tóch gelukt.

En ik ben er blij om. En ik heb het druk.

De klokken luiden.

Er worden gewonden gebracht.

En ik moet gaan, want ik moet mijn werk doen.

Noot van de auteur

Het verhaal en de personages – zowel in Brighton als in Frankrijk – zijn door mij bedacht, maar om het geloofwaardig te maken is het gebaseerd op bestaande plaatsen en ware gebeurtenissen uit de Eerste Wereldoorlog. Er zijn in die tijd ook veel gevallen beschreven van voorgevoelens en toekomstvoorspellingen in de loopgraven en de bijnaam 'Onheilsprofeet' is ontleend aan de werkelijkheid.

De Franse naam voor Hoogbos is niet het Ravenbos, al beweert Robert Graves van wel in zijn beroemde autobiografie *Dat hebben we gehad/Goodbye to All That.* Zo ben ik op het idee gekomen voor Alexandra's visoenen, maar het is me niet gelukt andere bronnen te vinden die het bos zo noemen. Het Franse woord voor raaf is *corbeau,* of in het dialect van Picardië: *cornaille,* maar de Franse naam voor het bos was *Bois des Foureaux* of ook wel *Bois des Fourcaux.* (Er bestaan geen vertalingen voor, maar het eerste zou 'wateren van de oven' kunnen betekenen; en al is het mogelijk dat er ooit houtskool is gebrand in het bos, een rivier of beek is er niet te vinden. Het lijkt me waarschijnlijker dat de naam een verbastering is van *fourchette* – de kastanjebomen werden door de plaatselijke bevolking gebruikt om hooivorken van te maken.)

Hoe het bos ook heten mag, dit was in juli 1916 de bestemming voor de manschappen van de 19de brigade, waaronder het 20ste garderegiment Royal Fuseliers viel. Op zaterdag 15 juli voegden zij zich bij de enorme troepenmacht in het Dodendal, in staat van paraatheid voor hun aandeel in de slag om het bos. Die ochtend werden ze bestookt met gifgasgranaten.

Op 20 juli was het hun beurt om heuvelopwaarts te gaan voor de strijd in het bos, waarbij vrijwel het hele bataljon vernietigd werd.

In het officiële divisierapport staat alleen: *aanval voortgezet, onmogelijk de gevechtshandelingen samen te vatten.*

Marcus Sedgwick
West Sussex
December 2004

Dankwoord

Voor hun hulp bij de research voor dit boek wil ik graag mijn dank uitdrukken aan:

Helen Pugh en de medewerkers van het Rode Kruismuseum en het Archives Department; de medewerkers van het Imperial War Museum; Martin Nimmo en Sue Rubenstein van mybrightonandhove.com; en aan Elizabeth Garrett, voor haar onderzoek naar Clifton Terrace in het bijzonder en het Brighton van 1916 in het algemeen.

Ook veel boeken zijn van waarde geweest om de tijdgeest te vangen, zoals *Testament of Youth* en *Chronicle of Youth* van Vera Brittain, *A Diary without Dates* van Enid Bagnold, *Goodbye to All That* van Robert Graves (Nederlandse vertaling: *Dat hebben we gehad* van Guido Golüke) en *The War the Infantry Knew* van Captain Dunn. *A Brief Jolly Change*, de dagboeken van Henry Peerless onder redactie van Edward Fenton, waren leerzaam en voor mij persoonlijk een genoegen, omdat er familieleden van mij in voorkomen.